どろどろこねこねで楽しい！

手作り
スライムと
こむぎねんど
の本

著
Jamie Harrington、
Brittanie Pyper、
Holly Homer

監訳
佐々木 有美

訳
高橋 信夫

O'REILLY®
オライリー・ジャパン

Make:

JN061846

101 kids activities that are the ooey, gooey-est ever!

Nonstop Fun with DIY Slimes, Doughs and Moldables

Jamie Harrington,
Brittanie Pyper and Holly Homer

もくじ

いろんなぐにょぐにょ　120

●保護者の方へ
　この本では、101種類の楽しいレシピを紹介しています。多くのレシピでは、ご家庭にある身近な材料を使っていますが、一部、薬品や熱湯を使うレシピも含まれています。初めて扱うものがあるときは、必ずお子さんといっしょに楽しんでください。また、遊んだ後は、しっかりせっけんなどで手を洗うようにしてください。では、たくさんあるレシピを思いっきり楽しんで下さい!!

●ホウ砂溶液の取り扱いについて（ホウ砂を使う実験の前にご一読ください）
・手にケガなどをしている場合は、ビニール手袋などをすると安心です。
・ホウ砂やホウ砂溶液が手に付いた状態で、目や口などをさわらないようにしてください。

ハリー、ケイゼン、タレク、ライアン、リード、そしてレイットにこの本を捧げます。
なぜなら、あなたたちこそ、私たちがいまでも子どものように毎日活動している理由だから。

はじめに

べたべた、くねくね、きらきら、変なにおい、カラフル。スーパー楽しくて、クリエイティブな遊びといえば、どんなことばが思い浮かぶだろうか？　遊びとは、創造力と想像力をふくらませること。自分に合うことなら何になっても何をやってもオーケー。マッドサイエンティストになるもよし、ジュラ紀の恐竜でも、ドクターでも、どろんこモンスターでも、キラキラの妖精にだってなれる。遊びの中でも最高なのが「スライム」や「こむぎねんど」のように形をつくれるものを使うこと。びしょぬれべとべとになれば楽しむのはかんたん！レシピを見て、まぜたりこねたりしていれば、すばらしいときを何時間でもすごすことができる。そうそう、ママやパパもいっしょに楽しめる。なぜならくにゃくにゃしたものをこねこねするのは、誰でも大好きだから！

遊びの時間は楽しみやゲームだけではない。イマジネーションをふくらませて育てることで、一歩ずつ大きな目標へと向かう道案内をしてくれる。そう。大いに楽しむだけでなくもっとたくさんのものを得ることができる。

この本はワクワクするような、魅力的で科学的なレシピで、創造と学習を助けてみんなの遊び心を引き出す。それがスライムでもこむぎねんどでも、どんなものづくりであっても、あなたのイマジネーションを活かした最高の芸術作品を作ることができるだろう。

スライム

SLIME

くねくね、ぷるぷるしながら
指の間をすり抜けていく。
それは楽しみと科学のかんぺきな組み合わせだ。
スライムがすごいのは、ばらばらだった材料が、
合わさって互いに刺激しあうと今まで見たことのない
手ざわりの物体に変わることだ。
スライムはグチャグチャで気持ち悪くて
カエルのゲロ（018ページ）や
クモのたまご（030ページ）のようにもなる。あるいは
スーパーばかばかしい、とけた雪だるま（016ページ）や
クロンチ（034ページ）にもなる。
スライムが何に化けるのかはだれにもわからない。

1 マグネットスライム

マグネットスライムは、これまであなたが遊んだものの中でもいちばんすごいかもしれない。
ぬるぬるべとべとした黒い物体がマグネットにすりよって食べてしまうように見える!
本当にこれを家で作れるのかって? もちろん!

オトナといっしょに　口に入れない

材料

- せんたくのり：100ミリリットル
  （成分にPVAと表示されているもの）
- 木工ボンド：小さじ1
  （コニシ ボンド木工用）
- 水：50ミリリットル
- ホウ砂溶液：小さじ1
- 砂鉄：10〜20グラム
  （インターネットで買える）
- ネオジム磁石
  （円筒状で両はじが磁化されているもの）

ホウ砂溶液の材料

- ホウ砂：小さじ1
  （約4.5グラム、薬局で買える）
- 60℃のお湯：100ミリリットル

道具

- ボウル
- ゴムベラ
- 耐熱カップ
- スプーン

作り方

［下準備（ホウ砂溶液を作る）］

① 耐熱カップに60℃ぐらいのお湯（100ミリリットル）をそそぐ。

② そこにホウ砂（小さじ1）を入れ、しっかりととかす。

1 せんたくのり（100ミリリットル）とボンド（小さじ1）と水（50ミリリットル）をボウルに入れ、ゴムベラでむらがなくなるまでよくまぜる。

2 完全にまざったら、ホウ砂溶液（小さじ1）をくわえて10〜15分ぐらいまぜる。

3 スライムがボウルの内側からはがれはじめたら、ボウルからスライムを取り出し、手でこねたり伸ばしたりする。これで白いスライムのできあがり。

4 さあ、砂鉄の粉末をくわえるときだ。これでスライムは魔法のように磁気をおびる!

5 親指の腹でスライムに小さなへこみを作る。

6 大人に手伝ってもらい砂鉄の粉末を（5グラムぐらい）スライムのへこみに入れる。

7 スライムを折りたたんで粉末をおおってから手でこねて、粉末とスライムによくまぜる。やがてスライムが黒みをおびてくる。

8 これを繰り返して、ネオジム磁石に反応するようになるまで粉末をくわえる。

9 磁石をスライムの上方に持っていくと、ひっぱられるはずだ。

10 スライムの真ん中に磁石をおくと、まるでスライムが磁石を「食べる」ように見える。これはすごい! この「魔法の」スライムがあれば何時間でも遊べそうだ!

ヒント

□ 密閉容器で保存すること。　□水をくわえるともとにもどる。

2 エクトプラズム

またの名をゴーストスライムともいうこの不気味な物質は、かんたんに作れて名前も楽しい！
このねばねばくねくねは明るいところでも暗いところでも光るので、
プロのゴーストハンターになった気分が味わえるかもしれない。

口に入れない

材料

- コーンスターチ：450グラム
- 水：360ミリリットル
- 食用色素（緑）：15滴
- 夜光塗料（緑）：30ミリリットル

　（お好みで）

道具

- ボウル

作り方

1　ボウルにコーンスターチと水を入れてねばねばになるまでこねる。食用色素を気に入った色になるまでくわえる。これ以上かんたんなものはない。

2　暗闇で光らせてクールな効果を生むには、緑色の夜光塗料を小さじ2杯くわえる。暗闇で光らせるためには、スライムを2分ほど明るい光に当てるのをわすれずに。

 ヒント

□　密閉容器で保存すること。

□　水をくわえるともとにもどる。

3 プリンスライム

このおどろきの作品を友だちのまえで味わっておどかしてから、秘密のレシピを教えてあげよう。
みんな大よろこびでプリンスライムで遊びたがることまちがいなし。

材料

- インスタントプリンの素：77グラム
  （ハウス食品 プリンミクス）
- コーンスターチ：80グラム
  （40グラムずつに分けておく）
- お湯：40ミリリットル
- 食用色素（お好みで）
  しょくようしきそ

道具

- ボウル
- 耐熱のゴムベラまたは木ベラ
  たいねつ

作り方

1　プリンの素とコーンスターチ（40グラム）と食用色素をボウルに入れてまぜる。

2　大人にたのんでお湯をゆっくりくわえてもらいながら、ずっとまぜつづける。注意！　お湯があついことをわすれずに！

3　のこりのコーンスターチ（40グラム）をゆっくりくわえる。

4　はじめはすごくべとべとしているが、他のスライムと同じように、こねればこねるほど、いい感じになる。

5　水っぽくなりすぎたときはコーンスターチを小さじ1杯ずつくわえる。かわきすぎたら、ぬるいお湯を小さじ1杯ずつくわえる。

ヒント

□ 実験してみたいって？
　いろんなフレーバーの
　ドリンクミックスをくわえて
　どんな色になるか、
　ためしてみよう！

□ 密閉容器で
　みっぺい
　保存すること。
　ほぞん

□ 水をくわえると
　もとにもどる。

4 ざくろスライム

ざくろを食べたことがある？　大人の許可をもらったら、
ぐにゃぐにゃのミックスに入れる前にざくろのたねを味わってみよう。
舌にぴりっとくる甘くてすっぱい味がするだろう。このたねはおいしいだけでなく、
あなたのどろりとしたスライムに楽しいでこぼこをつけてくれる。

大人といっしょに

口に入れない

材料

- ざくろ（大きめのもの）：1個
- 水：250ミリリットル
- せんたくのり：150ミリリットル
  （成分にPVAと表示されているもの）
- ホウ砂溶液：小さじ3

ホウ砂溶液の材料

- ホウ砂：小さじ1
  （約4.5グラム、薬局で買える）
- 60℃のお湯：100ミリリットル

道具

- 大きなボウル
- ゴムベラ
- 耐熱カップ
- スプーン

作り方

［下準備（ホウ砂溶液を作る）］

① 耐熱カップに60℃ぐらいのお湯（100ミリリットル）をそそぐ。

② そこへホウ砂（小さじ1）を入れ、しっかりととかす。

1 大人にたのんでざくろを半分に切ってもらう。

2 できるだけたくさん、たねを取り出す。たねをボウルに入れる。注意！　ざくろの汁はほんの少し服についただけでもシミになる。

3 水（250ミリリットル）とせんたくのり（100ミリリットル）をボウルに入れゴムベラでかきまぜる。

4 完全にまざったら、ホウ砂溶液を小さじ1ずつくわえてよくまぜる。

5 ぐちゃぐちゃと赤いねばねばのスライム風のかたまりになるまで手で（あるいはゴムベラで）まぜる。

ヒント

□ 服によごれが付くと大変なので、ペーパータオルを用意しておくこと。ざくろの実からたねを取り出す楽しい方法を試したい人へ。大人に半分に切ってもらったら、ボウルの上で下に向けたざくろの皮をスプーンでたたく。そうすればたねはボウルにおちるはずだ。

□ 密閉容器で保存すること。　□ 保存できる時間が短い。

□ 水をくわえるともとにもどる。

5 ヘドロモンスター

ヘドロモンスターを見たことがあるだろうか？　ヘドロモンスターは細身のねばねばの
かたまりであまりかしこくない。ヘドロモンスターの足がどんな形をしているのかはだれも知らない。
いつもねばねばに包まれているので、実は足があるのかどうかさえわかっていない。
街の下水道に住み、いちばんきたないゴミを食べている。
さあ自分だけのねばねばヘドロモンスターを作ってイマジネーションをはたらかせよう。

材料

- 水：120ミリリットル
- せんたくのり：120ミリリットル
  （成分にPVAと表示されているもの）
- 木工ボンド：小さじ1
  （コニシ ボンド木工用）
- お湯：250ミリリットル
  （60℃ぐらい）
- ホウ砂：小さじ1
  （約4.5グラム、薬局で買える）
- 好きなモンスターの色の
  食用色素：3滴

道具

- ボウル：2
- ゴムベラ
- スプーン
- ヘドロモンスタースライムのため
  だけに使うフィギュア：2

作り方

1　1つ目のボウルに水（120ミリリットル）とせんたくのり（120ミリリットル）とボンド（小さじ1）と食用色素を入れ、ゴムベラでむらがなくなるまでよくまぜる。

2　2つ目のボウルにお湯（250ミリリットル）とホウ砂（小さじ1）を入れ、全部とけるまでスプーンでかきまぜる。

3　このホウ砂のとけたお湯を、「1」でできたカラフルな液体にそそぎ入れる。

4　20まで数えたら、ぐちゃぐちゃサイエンスマジックが起きるところを見よう！

5　その後、ゴムベラでかきまぜる。

6　ネバネバを手で押さえ、ボウルをかたむけ、よぶんな水をすててねばねばだけにする。

7　すごくねばねばになるまで手でこねて、げんこつでたたいたりつぶしたりおしたりする。

8　もう一度よぶんな水分をすてる。

9　べたべたしなくなるまでいじりまわす。

10　ねばねばをフィギュアにかぶせれば、すぐにできるヘドロモンスターのできあがりだ。

ヒント

□密閉容器で保存すること。　□水をくわえるともとにもどる。

6 とけたスノーマンスライム

あの氷のように冷たい日に作った大好きな雪だるまは、いつの間にか消えてしまった。
もうそんなことはない！　この作品はあなたの雪だるまを一年中のこしてくれる！
少しとけているように見えるけれど、この雪だるまはいつもあなたの友だちだ。

ダイといっしょに　口に入れない

材料

- 水：100ミリリットル
- せんたくのり：100ミリリットル
  （成分にPVAと表示されているもの）
- 木工ボンド：大さじ1
  （コニシ ボンド木工用）
- ○ 水：小さじ2
- ○ ホウ砂溶液：小さじ2

ホウ砂溶液の材料

- ホウ砂：小さじ1
  （約4.5グラム、薬局で買える）
- 60℃のお湯：100ミリリットル

道具

- ボウル
- ゴムベラ
- 耐熱カップ
- スプーン
- プラスチックカップ
- スノーマンのパーツ
  （動く目玉、ボタン、カラーフォームを
  切って作ったスカーフ、ぼうし、鼻）

作り方

［下準備（ホウ砂溶液を作る）］
　① 耐熱カップに60℃ぐらいのお湯（100ミリリットル）をそそぐ。
　② そこにホウ砂（小さじ1）を入れ、しっかりととかす。

1　せんたくのり（100ミリリットル）とボンド（大さじ1）と水（100ミリリットル）をボウルに入れ、ゴムベラでむらがなくなるまでよくまぜる。

2　プラスチックカップに水（小さじ2）とホウ砂溶液（小さじ2）を入れ、スプーンでかきまぜる。

3　ボウルにプラスチックカップの中身（うすめたホウ砂溶液）を入れ、ゴムベラでかきまぜる。

4　15分ほどゴムベラ（または手）でこねる。初めはすごくべたべたしているかもしれないが、かたまりをつぶすイメージでこねるとだんだんと水分がへってくる。

5　とけた雪だるまのようになったら完成。

6　このスライムでできることが2つある。雪だるまを立たせておいて急いでパーツをつけ、目の前でとけていくのを見る。もう1つは、ねばねばを平らにのばして雪だるまのパーツを上にのせる。完全にとけた雪だるまのように見える。

ヒント

□ 密閉容器で保存すること。　　□ 水をくわえるともとにもどる。

7 カエルのゲロスライム

よく聞いて欲しい。カエルのゲロほどべとべと、ぐちゃぐちゃで気持ち悪いものはない。
カエルのゲロスライムはクレイジーでぐにゃぐにゃで、
しかもその中には不気味なサプライズまで入っている。でも、こわがる必要はない。
本物のカエルはどこにも入っていない。

材料

- せんたくのり：25ミリリットル
  （成分にPVAと表示されているもの）
- 水：200ミリリットル
- 食用色素（緑）：2滴
- 食用色素（黄色）：3滴
- ライムエッセンシャルオイル
  （オプション）
○ 水：50ミリリットル
○ ホウ砂溶液：大さじ1

ホウ砂溶液の材料

- ホウ砂：小さじ1
  （約4.5グラム、薬局で買える）
- 60℃のお湯：100ミリリットル

道具

- 大きいボウル
- ゴムベラ
- 耐熱カップ
- スプーン
- プラスチックカップ
- 小さなハエのおもちゃをたくさん

作り方

［下準備（ホウ砂溶液を作る）］

① 耐熱カップに60℃ぐらいのお湯（100ミリリットル）をそそぐ。
② そこにホウ砂（小さじ1）を入れ、しっかりととかす。

1 せんたくのり（250ミリリットル）と水（200ミリリットル）と食用色素とライムエッセンシャルオイルを大きなボウルに入れ、ゴムベラでむらがなくなるまでよくまぜる。

2 プラスチックカップに水（50ミリリットル）とホウ砂溶液（大さじ1）を入れスプーンでかきまぜる。

3 大きなボウルにプラスチックカップの中身（うすめたホウ砂溶液）を3回に分けて入れる。ホウ砂溶液を入れるたびにゴムベラでよくかきまぜる。

4 ゴムベラでまぜるのがむずかしくなってきたら手でこねる。

5 初めはすごくべたべたしているかもしれないが、かたまりをつぶすイメージでこねるとだんだんと水分がへってくる。

6 小さなハエの大群をカエルのゲロにふりかけてよくまぜる。さあ、お楽しみの時間だ！

ヒント

□ 密閉容器で保存すること。　　□ 水をくわえるともとにもどる。

8 ユニコーンの鼻水

なぜこんなものを？　それは、ユニコーンが魔法の生き物だから。
何をとってもおどろくほど……かわいい！　そのキラキラな鼻水でさえかがやかしくて楽しい。

ネイといっしょに　　口に入れない

材料

- せんたくのり：150ミリリットル
  （成分にPVAと表示されているもの）
- 水：小さじ4（20ミリリットル）
- 食用色素（ユニコーンの鼻水はどんな色？）：数滴
- グリッター（銀色、ピンク、または紫がぴったり）：大さじ2
○ 水：小さじ4（20ミリリットル）
○ ホウ砂溶液：小さじ1（5ミリリットル）

ホウ砂溶液の材料

- ホウ砂：小さじ1
  （約4.5グラム、薬局で買える）
- 60℃のお湯：100ミリリットル

道具

- ゴムベラ
- 大きいボウル
- 耐熱カップ
- スプーン
- プラスチックカップ
- とうめいなフタつきびん：
  2〜3（お好みで）

作り方

[下準備（ホウ砂溶液を作る）]
① 耐熱カップに60℃ぐらいのお湯（100ミリリットル）をそそぐ。
② そこにホウ砂（小さじ1）を入れ、しっかりととかす。

1　まず、作業場所のまわりにカバーをかける。グリッターは思いもしなかったところに入り込んでしまうのが大好きだ。

2　次にせんたくのり（150ミリリットル）とグリッターと食用色素を大きなボウルに入れ、ゴムベラでよくまぜる。

3　プラスチックカップに水（小さじ4）とホウ砂溶液（小さじ1）を入れ、スプーンでかきまぜる。

4　大きなボウルにプラスチックカップの中身（うすめたホウ砂溶液）を入れ、ゴムベラでよくかきまぜる。

5　これでスライムができはじめるはずだ。スライムをしぼって、こねて、ボウル全体にたたきつける。

6　スライムから水とせんたくのりの汁がしたたるかもしれない。でも、問題ない！　鼻水を作っているのだから。

7　スライムを手にとり15分ほどこねて、ちょうどよい固さにする。

ヒント

□グリッターが大さじ2杯でたりなければ、だいたんにもう1杯（24グラム）くわえよう。

□とうめいなびんに入れて、部屋のデコレーションにすることもできる！
□密閉容器で保存すること。　□水をくわえるともとにもどる。

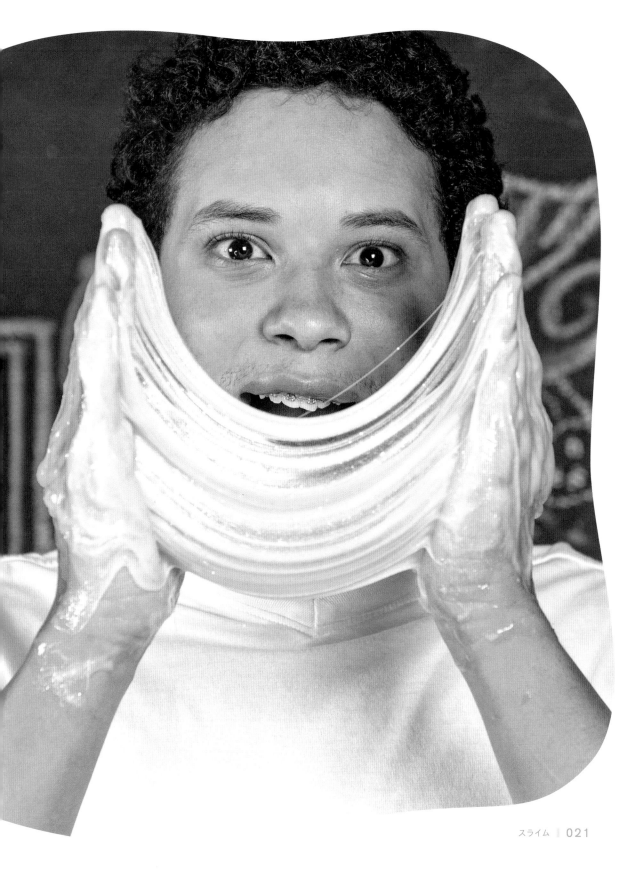

9 ミッケスライム

あの楽しい絵本『ミッケ！』シリーズをごぞんじだろうか？
このスライムはあれと同じだけどぐにゃぐにゃでぬるぬるしている！
このスライムを使って友だちとゲームもできる！
さあ、だれが一番早くたくさん見つけられるかな？

材料

- とうめいスライム（072ページ）：
  1セット
- スパンコールとビーズ：
  120ミリリットル

道具

- 大きなボウル
- スプーン

作り方

1 とうめいスライムができたら、いろいろなものをまぜるときだ。
2 スパンコールとビーズをスライムに入れてよくまぜる。
3 スライムを手にとってピシャピシャたたく。
4 さあ、小さなキラキラを全部みつけられるかな？

ヒント

□密閉容器で保存すること。　□水をくわえるともとにもどる。

10 まくらスライム

まくらみたいにやわらかくてモコモコしたスライムが欲しいって？
このスライムならまちがいない！　これは私の友だちでボジョスライムを作った
アベリー・イワノフスキーのアイデアだ。
注意すること：あんまりやわらかいので、ねむってしまうかもしれない！

大人といっしょに

口に入れない

材料

- インスタントスノー：小さじ1
 （3グラム）
- 水：150ミリリットル
- せんたくのり：125ミリリットル
 （成分にPVAと表示されているもの）
- ホウ砂溶液：小さじ3
 _{しょうえき}
- 食用色素（お好みで）
 _{しょくようしきそ}
- 香りをつけるための
 エッセンシャルオイル（お好みで）

ホウ砂溶液の材料

- ホウ砂：小さじ1
 （約4.5グラム、薬局で買える）
- 60℃のお湯：100ミリリットル

道具

- ボウル
- ゴムベラ
- 耐熱カップ
 _{たいねつ}
- スプーン
- 密閉容器
 _{みっぺい}

作り方

[下準備（ホウ砂溶液を作る）]
① 耐熱カップに60℃ぐらいのお湯（100ミリリットル）をそそぐ。
② そこにホウ砂（小さじ1）を入れ、しっかりととかす。

1 インスタントスノー（小さじ1）をボウルに入れる。
2 水（150ミリリットル）を少しづつくわえ、よくまぜる。
3 そこへせんたくのり（125ミリリットル）をそそぐ。色や香りをつけたいときはここで入れ、よくまぜる。
4 ホウ砂溶液（小さじ3）を1杯ずつボウルに入れる。ホウ砂溶液を入れるたびにゴムベラでよくかきまぜる。
5 ひっぱると少し伸びるけれども、べとべとしないくらいのこさにする。
6 これをとうめいな密閉容器に入れて3日以上おく。これでまくらスライムがきれいになって手ざわりもよくなる。
7 できあがったら、楽しく遊ぼう！

ヒント

☐ 密閉容器で保存すること（夏など温度が高い時は冷蔵庫で保存する）。
 _{ほぞん}
☐ 水をくわえるともとにもどる。

11 なだれスライム

これは最高にかっこいい！　2つのスライムが合わさって氷と雪のように見える。
流れるように色がまざり合って自分だけのなだれができる。手にとっていじっていると、
マーブルもようのねばねばができる。作り方の説明が長くても心配いらない。
本当にかんたんに作れるから！

材料

- せんたくのり：150ミリリットルと
  100ミリリットル
  （成分にPVAと表示されているもの）
- 木工ボンド：小さじ1
  （コニシ ボンド木工用）
- ジェル状食用色素
  （なければアクリル絵の具）：2色
- ホウ砂溶液：100ミリリットルと
  小さじ1½
- 水：小さじ1

ホウ砂溶液の材料

- ホウ砂：小さじ2
  （約9グラム、薬局で買える）
- 60℃のお湯：200ミリリットル

道具

- ボウル：2　　- ゴムベラ
- 耐熱カップ　　- スプーン
- プラスチックカップ
- とうめい密閉容器（240ミリリット
  ル）
- わりばし

作り方

［下準備（ホウ砂溶液を作る）］
- ① 耐熱カップに60℃ぐらいのお湯（100ミリリットル）をそそぐ。
- ② そこにホウ砂（小さじ1）を入れ、しっかりととかす。

1　ホウ砂溶液（100ミリリットル）をボウルに入れる。
2　そこへせんたくのり（150ミリリットル）をそそぐ。まぜてはいけない！　そのままにして、次へ進む。
3　せんたくのり（100ミリリットル）とボンド（小さじ1）を別のボウルに入れてよくまぜる。
4　プラスチックカップに水（大さじ1）とホウ砂溶液（小さじ1½）を入れ、スプーンでかきまぜる。
5　せんたくのりとボンドが入ったボウルにプラスチックカップの中身を2回に分けて入れる。入れるたびにゴムベラでよくかきまぜる。
6　ボウルの側面から引きはなせるようになったら準備完了。
7　白いスライムをボウルから取り出す。
8　このぐちゃぐちゃがべとつかなくなるまで伸ばしたり丸めたりする。
9　ここで、「2」で作っておいたとうめいミックスにもどる。
10　固めのスライムになるまで、ゴムベラでゆっくりかきまぜる。
11　とうめいスライムを容器から取り出す。
12　軽くしぼって余分な水分を抜いたら、食料保存容器の底にしく。
13　わりばしで、とうめいスライムの半分に食用色素の一色をぬる。
14　別の色の食用色素を使って残りの半分もぬる。
15　白いスライムを色つきのスライムの上にのせる。
16　容器のふたをしめ、上下をひっくり返し、およそ24時間放置する。
17　まるで白いスライムに色がすべりこんだように見える！

ヒント

□密閉容器で保存すること。

12 金魚鉢スライム

海で時を過ごすのは楽しい。お休みが終わるとき、
砂浜で採ったものを家に持って帰れればいいのにと思わなかっただろうか?
だったら自分だけの海そっくりのスライムを作ろう! これはすぐにできるミニバケーションだ!

大人といっしょに

口に入れない

材料

- せんたくのり:200ミリリットル
  (成分にPVAと表示されているもの)
- 食用色素(青):10〜15滴
- 金魚鉢ビーズ:60ミリリットル
- プラスチック製の小さな海の
  生き物たち(お好みで)
- 水:大さじ1
- ホウ砂溶液:小さじ1½

ホウ砂溶液の材料
- ホウ砂:小さじ1
  (約4.5グラム、薬局で買える)
- 60℃のお湯:100ミリリットル

道具

- とうめいで小さな金魚鉢
  または大きなボウル
- ゴムベラ
- 耐熱カップ
- スプーン
- プラスチックカップ

作り方

[下準備(ホウ砂溶液を作る)]
① 耐熱カップに60℃ぐらいのお湯(100ミリリットル)をそそぐ。
② そこにホウ砂(小さじ1)を入れ、しっかりととかす。

1 せんたくのり(200ミリリットル)を金魚鉢にそそぐ。
2 食用色素、金魚鉢ビーズをくわえて、ゴムベラでまぜる。
3 プラスチックカップに水(大さじ1)とホウ砂溶液(小さじ1½)を入れ、スプーンでかきまぜる。
4 金魚鉢にプラスチックカップの中身(うすめたホウ砂溶液)を入れる。ホウ砂溶液を入れるたびにゴムベラでよくかきまぜる。
5 たがいによくくっつくけれども、ゆるいスライムのようになったらできあがり。
6 ここでプラスチックの海の生き物をスライムにくっつけてもよい。まるで「海」の中を「およいでいる」ように見える。
7 スライムをボウルから取り出して、両手でぴしゃぴしゃたたくこともできる。楽しくて、しゃりしゃりとした砂浜のような手ざわりだ。
8 もっと楽しむためには、全体をまぜる前にグリッターやアクリルの金魚鉢ビーズをくわえよう。

ヒント
□密閉容器で保存すること。

13 クモのたまご

クモのたまご（卵嚢）を見たことがあるだろうか？
白いべとべとの中にクモの子どもがいっぱいに入っている！
このクモまみれのぐちゃぐちゃで、仲のいい友だちや大好きな大人をおどろかせよう。
大丈夫！　すぐにニセモノだとわかるから。

口に入れない

材料

- とけたスノーマンスライム（016
  ページ）のレシピ（アクセサリーをのぞ
  く）：1セット
- 小さなプラスチック製クモの
  おもちゃ：1ふくろ（インターネットや
  パーティー用品売り場にある）

作り方

1　とけたスノーマンスライム（016ページ）をデコレーションなしで作る。

2　スライムをボールのようにする。

3　ここからが楽しいところ。クモのおもちゃをスライムの中に、外から
　　見えないくらい深く入れる。

4　グチャグチャを友だちにわたして、遊んでいいよ、と言う。

5　中からクモの大群がでてきたのを見た友だちがさけぶ声を聞く！

6　大きなクモをスライムの上において、たまごを守っているように見
　　せてもよい。

7　クモのたまごを人目につくところにおいて、おどろかせることもで
　　きる。

8　これを使ってイタズラ戦争をはじめる人もいるかもしれない！

ヒント

□ 密閉容器で保存すること。

14 ハミガキスライム

このスライムは、きみの家にあるにちがいない2種類の材料でできている。
ちょっと変わった手ざわりだが、かんたんに作れて、さわやかで、楽しい！

犬といっしょに

口に入れない

材料

- 白いハミガキ：小さじ1
  （ライオン クリニカハミガキ）
- せんたくのり：100ミリリットル
  （成分にPVAと表示されているもの）
- グリッター：大さじ1（お好みで）
- ホウ砂溶液：小さじ5

ホウ砂溶液の材料

- ホウ砂：小さじ1
  （約4.5グラム、薬局で買える）
- 60℃のお湯：100ミリリットル

道具

- ボウル
- ゴムベラ
- 耐熱カップ
- スプーン

作り方

［下準備（ホウ砂溶液を作る）］

① 耐熱カップに60℃ぐらいのお湯（100ミリリットル）をそそぐ。
② そこにホウ砂（小さじ1）を入れ、しっかりととかす。

1 せんたくのり（100ミリリットル）とハミガキ（小さじ1）をボウルに入れ、ゴムベラでむらがなくなるまでよくまぜる。
2 グリッターを入れたい場合は今！ 入れたくない人っている？
3 ホウ砂溶液を（小さじ1）ずつくわえてよくまぜる。これを5回くりかえす。
4 べたべたしなくなるまでいじりまわす。
5 これでできあがり！

ヒント

□密閉容器で保存すること。 □保存できる時間が短い。

15 バタースライム

このスライムの名前の由来はバターを使っているからだけではなく、
指の間からしぼり出したときの手ざわりがバターのようだからだ。
スライムとこむぎねんどを合わせたようなこのくにゃくにゃは、
よくのびるけれども、バターらしくうすくのばすこともできる。

大人といっしょに　　口に入れない

材料

- コーンスターチ：40グラム
- ベビーパウダー：30グラム
- クリーミーで濃厚なシャンプー：
  120ミリリットル
- せんたくのり：100ミリリットル
  （成分にPVAと表示されているもの）
- 木工ボンド：小さじ1
  （コニシ ボンド木工用）
- ハンドローション：大さじ2
  （30ミリリットル、アトリックス ハンドミルク）
- 食用色素（黄色）：7滴
- シェービングクリーム：30グラム
  （目分量でよい）
- ベビーオイル：大さじ1（15ミリリットル）
- やわらかくしたバター：230グラム
- ホウ砂溶液：小さじ10〜13

ホウ砂溶液の材料

- ホウ砂：小さじ1
  （約4.5グラム、薬局で買える）
- 60℃のお湯：100ミリリットル

道具

- ボウル　　　- ゴムベラ
- 耐熱カップ　- スプーン

作り方

［下準備（ホウ砂溶液を作る）］

① 耐熱カップに60℃ぐらいのお湯（100ミリリットル）をそそぐ。
② そこにホウ砂（小さじ1）を入れ、しっかりととかす。

1　ボウルにコーンスターチ（40グラム）、ベビーパウダー（30グラム）、シャンプー（120ミリリットル）を入れる。
2　べとべとした生地のようになるまでスプーンでまぜる。
3　せんたくのり（100ミリリットル）とハンドローション（大さじ2）、食用色素、シェービングクリーム（30グラム）、ベビーオイル（大さじ1）、バターを（230グラム）くわえて全体をまぜあわせる。
4　ホウ砂溶液（小さじ10〜13杯ぐらい）を小さじ1ずつくわえ、くわえるたびによくまぜる。
5　ひたすらまぜる。
6　べとべとしすぎるようなら、ベビーパウダーを少しくわえる。
7　ちょうどよくなったら、ボウルから出して手に取り、つぶしたりこねたりして完全にバターのような手ざわりになるまでつづける。なめらかすぎて、手ばなしたくなくなるかもしれない！
8　バタースライムは室温で2週間ほど保存できる。もっと長く保存したいときは冷蔵庫に入れるとよいが、だれかが食べないようにラベルをはっておくこと。

ヒント

□密閉容器で保存すること。　□保存できる時間が短い。

16 クロンチスライム

クロンチってなに？　それはクランチに似ているけどもっとずっといい！
このクールなクロンチスライムのかたまりをかきまぜたときのパチパチ音を聞いてごらん！
友だちにすごくうらやましがられることまちがいなし！
「わたしにも作って！」とたのまれるはずだ。

大人といっしょに

口に入れない

材料

- せんたくのり：150ミリリットル
  （成分にPVAと表示されているもの）
- 水：125ミリリットル
- ホウ砂溶液：小さじ2

ホウ砂溶液の材料

- ホウ砂：小さじ1
  （約4.5グラム、薬局で買える）
- 60℃のお湯：100ミリリットル

道具

- ゴムベラ
- 耐熱カップ
- スプーン
- プラスチックカップ
- カラフル発泡スチロール球
- プラスチック容器

作り方

［下準備（ホウ砂溶液を作る）］

① 耐熱カップに60℃ぐらいのお湯（100ミリリットル）をそそぐ。
② そこにホウ砂（小さじ1）を入れ、しっかりととかす。

1 ボウルにせんたくのり（150ミリリットル）と水（125ミリリットル）を入れる。
2 完全にまざり合うまでよくまぜる。
3 ホウ砂溶液（小さじ2）を小さじ½ずつ入れる。ホウ砂溶液を入れるたびにゴムベラでよくかきまぜる。
4 10〜15分間ほどまぜる。
5 ここでねばねばをボウルから取り出すと、手の中でのばしたりひっぱったりできるようになっているはずだ。
6 発泡スチロール球1ふくろをプラスチック容器に入れる。
7 小さな球の入った容器にスライムを入れる。
8 全体にむらがなくなるまでピチャピチャこねまわす。
9 スライムをひっぱってのばすと、パチパチ音が出るはずだ。
10 発泡スチロール球のかわりに人形用の目玉を使っても楽しい。

ヒント

□密閉容器で保存すること。　□保存できる時間が短い。

17 食べられるキャンディースライム

本当は「笑うスライム」という名前の方がよかったかもしれない。
なぜなら材料が「ラフィータフィー」(笑うタフィーキャンディー) だから。
さあ、これを1セット作ってスライムの虹をかけよう。

*訳注：英語版の材料の「ラフィータフィー」は日本では手に入りにくいため、日本語版では「ハイチュウ」に変えました。

材料

- ハイチュウ：1本 (12つぶ)
- ココナツオイル：小さじ¼
- パウダーシュガー：大さじ3
  (24グラム)
- コーンスターチ：大さじ3
  (24グラム)

道具

- ボウル
- なべ
- 耐熱のゴムベラまたは木ベラ
- 皿

作り方

1 ハイチュウをつつみから出してボウルに入れる。

2 ここからは大人に手伝ってもらおう。なべに水を深さ約8センチ入れて中火であたため、ハイチュウの入ったボウルをなべに入れる (湯煎)。キャンディーに水がつかないよう注意すること。

3 ハイチュウがとけるまで、よくまぜながらあたためる。

4 ハイチュウがほぼ全部とけたら、ココナツオイル (小さじ¼) をくわえてよくまぜる。

5 大人にハイチュウをあたためてもらっている間に、皿にパウダーシュガーとコーンスターチを用意する。

6 ハイチュウがとけたら、大人にたのんで、パウダーシュガー (大さじ3) とコーンスターチ (大さじ3) の上にとけたキャンディーを流し入れる。高温注意!!

7 さわれるくらいまで冷めたら、ハイチュウをこねてコーンスターチとパウダーシュガーにまぜこむ。

8 ほかの色のハイチュウでも同じことをくりかえす。

9 レインボーカラーの食べられるスライムのできあがり！　においもいい！

ヒント

□ キャンディーがかたくなってしまったら、大人にたのんで電子レンジで約10秒あたためるとやわらかくなる。

□ ジョークとわかるように、キャンディースライムで遊んでいる間は包み紙をとっておくこと。

18 食べられるミミズグミスライム

ミミズスライムを作ろう！　気持ち悪いって？　だったらグミスライムはどうだろう？
この食べられるスライムを作ると、ミミズたちがもぞもぞとおなかの中に入っていくかも。

材料

・ミミズグミ（ワームグミ）＊：
　1ふくろ（113グラム）
・サラダ油：小さじ½
・コーンスターチ：大さじ1（8グラム）
・パウダーシュガー：大さじ1
　（8グラム）

＊ 訳注：日本でも輸入食品店、輸入雑貨店
　などで買うことができます。

道具

- 電子レンジで使えるボウル
- 耐熱のゴムベラまたは木ベラ

作り方

1　レンジで使えるボウルにミミズグミをたくさん入れる。
2　大人にたのんで、ボウルを電子レンジで15秒ずつミミズグミが全部とけるまで熱をくわえる。ボウルもグミも熱くなるので注意!!
3　サラダ油をくわえ、なじむまでよくまぜる。
4　コーンスターチとパウダーシュガーを入れてよくまぜる。
5　スライムをさます。
6　これで、おいしくて、つぶせて、よくのびて、遊びながらかじれるおかしのできあがり。

ヒント

□ スライムがベタベタしすぎるときはコーンスターチをくわえよう。
□ 密閉容器で保存すること。

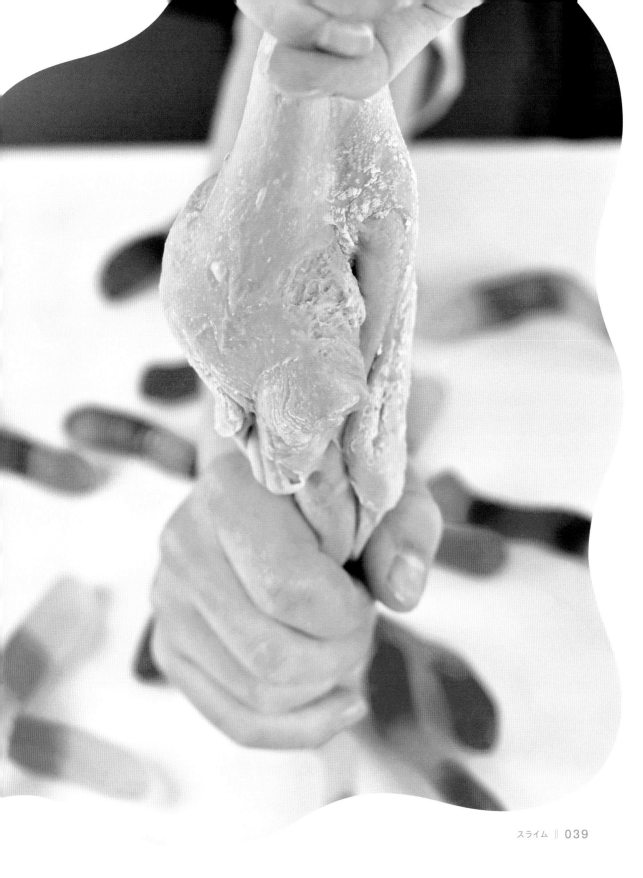

19 もこもこスライム

このスライムは、あまりにふわふわすぎて、まるでホイップクリームで遊んでいるようだ。
このソフトクリームを味見してみたくなってしまうだろうが、ぐっとこらえること。
君の味覚は君の手ほどこのスライムを好きじゃないと思う。

大人といっしょに

口に入れない

材料

- シェービングクリーム：1本
（250グラム）
- せんたくのり：100ミリリットル
（成分にPVAと表示されているもの）
- 木工ボンド：小さじ1
（コニシ ボンド木工用）
- 食用色素（好きな色）：数滴
- ホウ砂溶液：小さじ3

ホウ砂溶液の材料

- ホウ砂：小さじ1
（約4.5グラム、薬局で買える）
- 60℃のお湯：100ミリリットル

道具

- 大きなボウル
- ゴムベラ
- 耐熱カップ
- スプーン

作り方

［下準備（ホウ砂溶液を作る）］

① 耐熱カップに60℃ぐらいのお湯（100ミリリットル）をそそぐ。
② そこにホウ砂（小さじ1）を入れ、しっかりととかす。

1 せんたくのり（100ミリリットル）とボンド（小さじ1）と食用色素を大きなボウルに入れ、ゴムベラでむらがなくなるまでよくまぜる。
2 シェービングクリーム（250グラム）をくわえ、ゴムベラでそこからすくって上におくようにまぜる。
3 そこにホウ砂溶液（小さじ3）を小さじ1ずつ入れる。ホウ砂溶液を入れるたびにゴムベラで、こんどは泡立てるようにまぜる！
4 手でふわふわのミックスをこねる。
5 これでまくらのようにふわふわなスライムのできあがりだ。さあ、遊ぼう！

ヒント

□ 密閉容器で保存すること。
□ シェービングクリームを使うので、風とおしのよい場所で作る。

20 食べられるレッドリコリススライム

レッドリコリス* は、だれもが一度は食べてみたことのある時代を超えたおかしだ。
昔ながらの甘いベリー味が、次は自分たちがスライムになる番だとさけんでいる。
ついにその時がきた。きみのイマジネーションと舌は飛び上がらんばかりによろこぶだろう。

*訳注：英語版の材料の「レッドリコリス」は日本では手に入りにくいため、日本語版では「男梅グミ」に変えました。

材料

- 男梅グミ：1ふくろ（38グラム）
  <small>おとこうめ</small>
- ココナツオイル：小さじ½
- パウダーシュガー：
  小さじ1（3グラム）
- コーンスターチ：
  小さじ1（3グラム）

道具

- レンジで使えるボウル
- 耐熱のゴムベラまたは木ベラ

作り方

1　男梅グミ（1ふくろ）をレンジ対応ボウルに入れる。
2　グミにココナツオイル（小さじ½）をくわえる。
3　電子レンジで20秒ずつ熱をくわえ、1回ごとにボウルをレンジから出して木ベラでまぜる。あつくなるので注意!!
4　少し冷ましてからパウダーシュガー（小さじ1）、コーンスターチ（小さじ1）を入れてまぜる。
5　ゆるくなりすぎたら、パウダーシュガーをくわえる。
6　かたすぎたら、油を少しくわえる。
7　ちょうどよくなったら、よくのびてくっついて食べられるスライムのできあがり!

ヒント

□ スライムがかたくなってしまったら、大人にたのんで電子レンジで約10秒あたためるとやわらかくなる。
□ 密閉容器で保存すること。　□ 保存できる時間が短い。

21 レッドホットタマーレスライム

赤くてキラキラするスライムが、とびきりからいシナモンの香りになって
まったく新しいレベルになった。かんたんに作れて、最高の香り!
これこそが完璧なスライムかもしれない。

オイといっしょに　口に入れない

材料

- せんたくのり：50ミリリットル
  （成分にPVAと表示されているもの）
- 水：50ミリリットル
- 食用色素（赤）：5滴
- シナモンパウダー：小さじ1
- 水：小さじ1½（7.5ミリリットル）
- ホウ砂溶液：小さじ1（5ミリリットル）

ホウ砂溶液の材料

- ホウ砂：小さじ1
  （約4.5グラム、薬局で買える）
- 60℃のお湯：100ミリリットル

道具

- ボウル
- 泡立て器
- ゴムベラ
- 耐熱カップ
- スプーン
- プラスチックカップ

作り方

［下準備（ホウ砂溶液を作る）］

① 耐熱カップに60℃ぐらいのお湯（100ミリリットル）をそそぐ。
② そこにホウ砂（小さじ1）を入れ、しっかりととかす。

1 ボウルにせんたくのり（50ミリリットル）と水（50ミリリットル）をボウルにいれてまぜる。

2 食用色素（赤）とシナモン（小さじ1）をくわえ、泡立て器を使いしっかりとまぜる。

3 プラスチックカップに水（小さじ1）とホウ砂溶液（小さじ1½）を入れ、スプーンでかきまぜる。

4 ボウルにプラスチックカップの中身（うすめたホウ砂溶液）を入れ、ゴムベラでまぜる。

5 ボウルの内側からスライムがはなれはじめたらできあがり。

6 ぐちゃぐちゃを取り出して、あまりベタベタでなくなるまでこねたり、つぶしたり、ひっぱったりする。

7 すばらしい香りのレッドスライムのできあがりだ!

ヒント

□密閉容器で保存すること。　□保存できる時間が短い。

22 クモの巣スライム

本物のクモの巣はクモが吐き出す1本の糸から始まる。
このなんでも糸を、クモたちは超美しいスパイダーアートに仕上げる。
あなただけのスーパークールなクモの巣を作るのに、ざわざわぞくぞくするクモは必要ない。
このクモの巣スライムがあればいい!

材料

- せんたくのり：100ミリリットル
  （成分にPVAと表示されているもの）
- 木工ボンド：小さじ1
  （コニシ ボンド木工用）
- 泡ハンドソープ：60グラム
- クリーミーシャワージェルまたは
  シャンプー：大さじ½（8ミリリットル）
- ハンドローション：大さじ½
  （8ミリリットル、アトリックス ハンドミルク）
- ベビーオイル：大さじ½
  （8ミリリットル）
- シェービングクリーム：600ミリ
  リットルとぬりつける分
- ホウ砂溶液：小さじ10〜15

ホウ砂溶液の材料

- ホウ砂：小さじ1
  （約4.5グラム、薬局で買える）
- 60℃のお湯：100ミリリットル

道具

- 大きいボウル　- ゴムベラ
- 耐熱カップ　　- スプーン
- 密閉容器

作り方

[下準備（ホウ砂溶液を作る）]

① 耐熱カップに60℃ぐらいのお湯（100ミリリットル）をそそぐ。

② そこにホウ砂（小さじ1）を入れ、しっかりととかす。

1 せんたくのり（100ミリリットル）とボンド（小さじ1）を別のボウルに入れてよくまぜる。

2 ハンドソープ、ジェルまたはシャンプー、ハンドローション、シェービングクリームをまとめてボウルに入れてよくまぜる。

3 ホウ砂溶液を小さじ1ずつくわえていく。くわえるたびに底からすくうように、よくまぜる。

4 ホウ砂溶液を10杯ほど入れたら両手をボウルに入れてこねる。最初はべたべたしているが、ボウルの内側からはなれはじめる。

5 次にスライムをボウルから取り出し、きれいな平面におく。

6 このスライムを約15分間、指を立てたりこねたりしつづける。

7 ふわふわスライムくらいのかたさにする。

8 スライムを密閉容器に入れる。

9 スライムの上に両手でシェービングクリームのうすい層を作る。

10 容器のふたをきっちり閉め、2〜3日間放置する。

11 ふたを開けると、クモの巣スライムがぱちぱちと音をたてる。

12 容器の中でスライムをこねて押してかきまぜる。最高に楽しい!

ヒント

☐ 色を付けたいときは「1」で食用色素6滴をくわえる。

☐ もっと泡立てたいときは、「1」でシェービングクリームをあと60グラム追加する。

☐ 密閉容器で保存すること。　　☐ 保存できる時間が短い。

☐ シェービングクリームを使うので、風とおしの良い場所で作る。

23 かき氷スライム

かき氷って言った？　もちろん、いただきます！
暑い夏にカラフルでおいしいかき氷ほどうれしいものはない。
だったら、もちろんとけないのを作らなくちゃ！

大人といっしょに

口に入れない

材料

- せんたくのり：50ミリリットル
  （成分にPVAと表示されているもの）
- ポリプロピレンペレット（手芸用）：
  20グラム
  しょくようしきそ
- 食用色素（お好みで）
- 食用エキス（お好みで）
  しゃくようえき
- 水：小さじ1
- ホウ砂溶液：小さじ½

ホウ砂溶液の材料

- ホウ砂：小さじ1
  （約4.5グラム、薬局で買える）
- 60℃のお湯：100ミリリットル

道具

- ボウル：2
- ゴムベラ
  たいねつ
- 耐熱カップ
- スプーン
- プラスチックカップ
  みっぺい
- 密閉容器
- 紙でできたコーン（お好みで）

作り方

［下準備（ホウ砂溶液を作る）］
　① 耐熱カップに60℃ぐらいのお湯（100ミリリットル）をそそぐ。
　② そこにホウ砂（小さじ1）を入れ、しっかりととかす。

1　ボウルにせんたくのり（50ミリリットル）を入れる。
2　プラスチックカップに水（小さじ1）とホウ砂溶液（小さじ½）を入れ、スプーンでかきまぜる。
3　ボウルにプラスチックカップの中身（うすめたホウ砂溶液）を入れ、かきまぜる。密閉容器に移して、完全にとうめいになるまで3〜4日待ってもよい。
4　準備ができたら、スライム状のべとべとをボウルに入れる。
5　ポリプロピレンペレットを 少しずつくわえ、スライムの中にまぜこむ。
6　やがてスライムがごつごつしてペレットをくわえにくくなる。
7　これでシャキシャキかき氷のできあがり！

ヒント

□ 好きなにおいの食用エキスをくわえて、おいしそうなにおいにしよう。
□ 紙でできたコーン（パーティー用品店にある）につめると、本当にスノーコーンのように見える。
□ **このかき氷を食べてはいけない。すごくおいしそうにみえるけれども
　食用ではない。**
　　　　　　　　ほぞん
□ 密閉容器で保存すること。

24 ホログラフィックスライム

3次元のレインボーカラーをその手で持つことができる。それがこのスライムのすべてだ！
このねばねばしたけっさくであなたが作るカラースペクトルに夢中になることまちがいなし！

大人といっしょに

口に入れない

作り方

[下準備（ホウ砂溶液を作る）]

① 耐熱カップに60℃ぐらいのお湯（100ミリリットル）をそそぐ。
② そこにホウ砂（小さじ1）を入れ、しっかりととかす。

材料

- せんたくのり：150ミリリットル
  （成分にPVAと表示されているもの）
- 水：125ミリリットル
- ホログラフィックパウダーまたは
  グリッター：大さじ2
- アクリル絵の具（白）：
  大さじ1（15ミリリットル）
○ 水：小さじ2（10ミリリットル）
○ ホウ砂溶液：小さじ2（10ミリリットル）

ホウ砂溶液の材料

- ホウ砂：小さじ1
  （約4.5グラム、薬局で買える）
- 60℃のお湯：100ミリリットル

1 せんたくのり（150ミリリットル）、水（125ミリリットル）、ホログラフィックパウダーまたはグリッター（大さじ2）、絵の具（大さじ1）をボウルにいれ、むらがなくなるまでよくかきまぜる。
2 プラスチックカップに水（小さじ2）とホウ砂溶液（小さじ2）を入れ、スプーンでかきまぜる。
3 ボウルにプラスチックカップの中身（うすめたホウ砂溶液）を半分ずつくわえ、くわえるたびによくかきまぜる。
4 スライムがボウルの内側からはなれはじめるまでまぜつづける。
5 ぬるぬる、ぴかぴかのスライムを取り出して平らな面におく。
6 さあ、あとはこのホログラフィックスライムで遊ぶだけだ！

ヒント

□ 白い絵の具の代わりに夜光塗料を使えば、暗いところでもキラキラが光る。このスライムにはそんな楽しい遊び方もある。
□ 密閉容器で保存すること。

道具

- ボウル
- ゴムベラ
- 耐熱カップ
- スプーン

25 せんたく洗剤スライム

スライムって本当にこんなかんたんに作れるの？　もちろん！
たぶん材料は家にあるものばかり。もしスライム作りが初めてなら、
これはいいスタートだ。ほんとにかんたんだから！

材料

- せんたくのり：150ミリリットル
  （成分にPVAと表示されているもの）
- せんたく用液体洗剤：小さじ2½
  （アリエール イオンパワージェルサイエ
  ンスプラス）

道具

- ボウル
- ゴムベラ

作り方

1　せんたくのり（150ミリリットル）をボウルに入れる。

2　洗剤を小さじ1ずつくわえ、くわえるたびにゴムベラでよくまぜる。

3　ぐちゃぐちゃがボウルの内側からはなれるまで、洗剤とかきまぜを
　　くりかえす。

4　ほら、せんたく洗剤スライムのできあがり！

ヒント

□ 好きな色のグリッター、テーブルスプーン1杯をくわえてもよい。食用
　色素2滴をくわえれば色を変えられる。
□ 密閉容器で保存すること。

26 コンタクトスライム

これも簡単なスライムのレシピだ。しかも科学実験でもある！
どうやってコンタクトレンズ洗浄液が、重曹とせんたくのりをぐちゃっとした
スライムに変えるのか？　それはポリマーがお互いに結合しているしくみによるものだ。
まさか今日、科学者になるなんて思わなかったはずだ！

大人といっしょに　　口に入れない

材料

- せんたくのり：100ミリリットル
  （成分にPVAと表示されているもの）
- 木工ボンド：小さじ1
  （コニシ ボンド木工用）
- 重曹：小さじ1
- コンタクトレンズ洗浄液：大さじ1
  （レニュー フレッシュ）

道具

- ボウル
- ゴムベラ

作り方

1　せんたくのり（100ミリリットル）とボンド（小さじ1）と重曹（小さじ1）をボウルに入れゴムベラでむらがなくなるまでよくまぜる。

2　コンタクトレンズ洗浄液を少しずつくわえ、くわえる間、ずっとまぜつづける。

3　スライムがボウルの内側からはなれはじめたら、できあがり！

4　取り出して遊ぼう！

5　両手でびしゃびしゃやればやるほどいい感じになる。

ヒント

☐ 楽しくカラフルにするには食用色素を2滴くわえる。

☐ きらきら、ぴかぴかにしたかったら、グリッターをティースプーン2杯（16グラム）入れる。

☐ 密閉容器で保存すること。

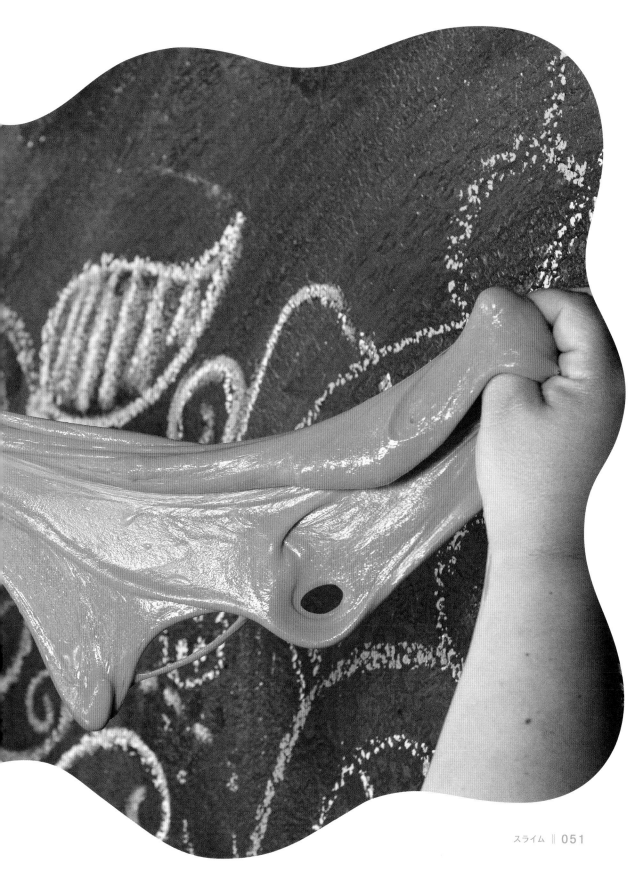

27 コーラスライム

コーラと呼ぶ人がいる。炭酸水と呼ぶ人も、単に炭酸と言う人も。
呼び方はなんでもこのシュワッとする飲み物は、
がまんできないほどいい香りのスライムを作る。

大人といっしょに　口に入れない

材料

- コーラ：240ミリリットル
  （コカコーラゼロ）
- ホウ砂：小さじ1½
  （7グラム、薬局で買える）
- せんたくのり：150ミリリットル
  （成分にPVAと表示されているもの）

道具

- ボウル
- ゴムベラ

作り方

1　コーラ（240ミリリットル）とホウ砂（小さじ1½）をボウルに入れて
　　かきまぜる。ホウ砂がコーラをしゅわしゅわさせるので注意！

2　せんたくのり（150ミリリットル）をくわえて、全体をかきまぜる。

3　スライムがボウルの内側からはなれるようになるまでつづける。

4　さあ、両手をつっこんでよくまぜよう。

5　たくさん遊んで、こねたり、丸めたり、折りたたんだりすればする
　　ほど、べたべたしなくなってくる。

ヒント

☐ まぜている途中でグリッター24グラムをくわえれば、スライムがキラキ
　ラになる。

☐ いろんな味の炭酸を使って、いろんなおいしい香りを楽しもう。ただ
　し、ブドウ糖、果糖、砂糖が入っているものは使えない。

☐ 密閉容器で保存すること。

28 グリッターグルースライム

「グリッターグルー（ラメのり）」と言えば、おそらく作品にきらきらをくわえる
楽しい工作を思いうかべるだろう。その同じのりを使ってきらきらのスライムを
作ることができる。ほんの少しの材料で、きらきらのグリッターグルーを、
ぐにゃぐにゃ、べとべとのスライムに変えて、ひっぱったりのばしたりして遊べる。

オトナといっしょに　口に入れない

材料

- グリッターグルー（ラメのり）：1本
  （50グラム、ダイソー メタリックカラーラ
  メのり絵の具）
- せんたくのり：大さじ2
  （成分にPVAと表示されているもの）
- マッチする色の食用色素：5滴
  （お好みで）
- ホウ砂溶液：小さじ1½

ホウ砂溶液の材料

- ホウ砂：小さじ1
  （約4.5グラム、薬局で買える）
- 60℃のお湯：100ミリリットル

道具

- ボウル
- ゴムベラ
- 耐熱カップ
- スプーン

作り方

[下準備（ホウ砂溶液を作る）]
① 耐熱カップに60℃ぐらいのお湯（100ミリリットル）をそそぐ。
② そこにホウ砂（小さじ1）を入れ、しっかりととかす。

1 グリッターグルー（ラメのり、1本）をボウルに入れる。
2 食用色素を使うときはここでまぜる。スライムがいっそうあざやか
  な色になる。
3 ホウ砂溶液（小さじ1½）をボウルにくわえ、まぜる。ボウルの内
  側からスライムがはなれるようになればできあがり。
4 スライムがボウルの内側からはなれはじめるまでまぜつづける。
5 ぐちゃぐちゃ・ぐにゃぐにゃをボウルから取り出して、指の間から押
  し出したり、ちぎったりして、平らな面で遊ぼう。
6 遊べば遊ぶほどべたべたしなくなってくる。

ヒント

□ホウ砂溶液は全部使わなくてもよい。あまったホウ砂溶液はすてる。
□密閉容器で保存すること。　□水をくわえるともとにもどる。

29 キネティックスライム

このスライムは、あなたが知っているあの大好きなぐにゅぐにゅのようにぷるぷるゆれて、
ねばねばしている。そして、今まで遊んだことのあるどんなスライムよりもしっかりしている。
ぜひこの手ざわりを味わえるまでいじりまわしてほしい。

材料

- プレイサンド（あそび砂）550グラム
  （ホームセンターやインターネットで買える）
- コーンスターチ：大さじ2（16グラム）
- お好みの液体ハンドソープ：
  大さじ1½（23ミリリットル）
- ココナツオイル：大さじ½
  （8ミリリットル）
- せんたくのり：100ミリリットル
  （成分にPVAと表示されているもの）
- 木工ボンド：小さじ1
  （コニシ ボンド木工用）
○ 水：小さじ1（5ミリリットル）
○ ホウ砂溶液：小さじ1（5ミリリットル）

ホウ砂溶液の材料

- ホウ砂：小さじ1
  （約4.5グラム、薬局で買える）
- 60℃のお湯：100ミリリットル

道具

- 大きいトレー（バット）
- ボウル　　　- ゴムベラ
- 耐熱カップ　- スプーン
- プラスチックカップ

作り方

［下準備（ホウ砂溶液を作る）］
① 耐熱カップに60℃ぐらいのお湯（100ミリリットル）をそそぐ。
② そこにホウ砂（小さじ1）を入れ、しっかりととかす。

1　プレイサンド（あそび砂）、コーンスターチ（大さじ2）、ハンドソープ（大さじ1½）、ココナツオイル（大さじ½）をトレー（バット）に入れる。
2　全部を手でまぜる。
3　ここでいったん横においておく。
4　せんたくのり（100ミリリットル）とボンド（小さじ1）をボウルに入れてよくまぜる。
5　プラスチックカップに水（小さじ1）とホウ砂溶液（小さじ1）を入れ、スプーンでかきまぜる。
6　ボウルにプラスチックカップの中身（うすめたホウ砂溶液）をくわえ、よくかきまぜる。
7　中身がボウルの内側からはなれはじめたらおしまい。
8　ボウルから取り出し、両手でまぜたりこねたりしてあまりべとべとでなくなったら、よいスライムのできあがり。
9　スライムをバットの砂のかたまりにくわえる。
10　まぜもの全体を両手でこねて、キネティックスライムの大きなかたまりにする。
11　しばらく時間ががかるかもしれないが、がまんがかんじん。このスライムは最高だ！

ヒント

□ 密閉容器で保存すること。

30 ふわふわの雲スライム

空を見上げると何が見えるだろうか？　あの雲をつかんで手の中でこねられたらいいのに。
この超泡だらけでふわふわのスライムは、まるであの空からふわふわの雲を取ってきたようだ。
手にとってぴちゃぴちゃしよう！

大人といっしょに 口に入れない

材料

- せんたくのり：200ミリリットル
　（成分にPVAと表示されているもの）
- 木工ボンド：小さじ2
　（コニシ ボンド木工用）
- ハンドローション：ポンプ3押し
　（アトリックス ハンドミルク）
- 泡ハンドソープ：ポンプ2押し
- コーンスターチ：大さじ1
　（8グラム）
○ 水：小さじ2（10ミリリットル）
○ ホウ砂溶液：小さじ2
　（10ミリリットル）

ホウ砂溶液の材料

- ホウ砂：小さじ1
　（約4.5グラム、薬局で買える）
- 60℃のお湯：100ミリリットル

道具

- ボウル：2
- 耐熱カップ
- プラスチックカップ
- ゴムベラ
- スプーン

作り方

[下準備（ホウ砂溶液を作る）]
　① 耐熱カップに60℃ぐらいのお湯（100ミリリットル）をそそぐ。
　② そこにホウ砂（小さじ1）を入れ、しっかりととかす。

1　せんたくのり（200ミリリットル）とボンド（小さじ2）をボウルに入れてよくまぜる。
2　ハンドローション（ポンプ3押し）、泡ハンドソープ（ポンプ2押し）、コーンスターチ（大さじ1）をボウルにくわえ、むらがなくなるまでかきまぜる。
3　これで泡のようなまぜものができる。
4　プラスチックカップに水（小さじ2）とホウ砂溶液（小さじ2）を入れ、スプーンでかきまぜる。
5　プラスチックカップの中身（うすめたホウ砂溶液）を少しずつボウルにくわえていき、くわえるたびによくまぜる。スライムが泡のようになり、ボウルの内側からはなれるようになるまでよくまぜる。
6　ボウルから取り出し、スライムが手にくっつかなくなるまで、こねて遊ぶ。
7　これで最高の雲スライムのできあがりだ。

ヒント

□ 密閉容器で保存すること。

31 氷山スライム

氷山とはなにか？　時には島ほどの大きさのとてつもなく大きな氷のかたまりで、氷河がこわれてできたものだ。巨大な氷のかたいかたまりが太平洋の外海にうかんでいる。このスライムレシピで作った小さな「氷山」は、ほうっておくとだんだんかたくなる。

材料

- せんたくのり：100ミリリットル
  （成分にPVAと表示されているもの）
- 木工ボンド：小さじ1
  （コニシ ボンド木工用）
- シェービングクリーム：1本
  （200グラム）
- ハンドローション：大さじ2
  （30ミリリットル、アトリックス ハンドミルク）
- ベビーパウダー：大さじ2（9グラム）
- 食用色素（お好みで）
- ホウ砂溶液：小さじ2〜3

ホウ砂溶液の材料

- ホウ砂：小さじ1
  （約4.5グラム、薬局で買える）
- 60℃のお湯：100ミリリットル

道具

- ボウル　　　- ゴムベラ
- 耐熱カップ　- スプーン
- プラスチックカップ
- ゴムハンマー（これはなくても大丈夫）

作り方

[下準備（ホウ砂溶液を作る）]

① 耐熱カップに60℃ぐらいのお湯（100ミリリットル）をそそぐ。
② そこにホウ砂（小さじ1）を入れ、しっかりととかす。

1 せんたくのり（100ミリリットル）とボンド（小さじ1）をボウルに入れてよくまぜる。
2 シェービングクリーム（200グラム）、ハンドローション（大さじ2）、ベビーパウダー（大さじ2）、食用色素（お好みで）をくわえ、むらがなくなるまでかきまぜる。
3 ホウ砂溶液を小さじ1ずつくわえ、くわえるたびによくまぜる。ボウルの内側からきれいにはなれるようになったらできあがり。
4 ふわふわしたぐちゃぐちゃをきれいで平たい面におき、こねて、折りたたんで、つぶして15分ほど遊ぶ。
5 ふわふわを大きなボウルにもどす。
6 ボウルを安全な場所にしまい、ふたをしないで3日間そのままにしておく。
7 3日たったら表面にふれてみる。かたくてパリッとしているはずだ。
8 大人に手伝ってもらい、ゴムハンマーでそのホームメイド「氷山」の表面をわる。
9 表面をわり終わったら、また、たたんだりこねたりして全体がソフトでふわふわになるまでつづける。
10 これでまたボウルにもどして、自分だけの「氷山」をかたくすることができる！

ヒント

□ シェービングクリームを使うので、風とおしのよい場所で作る

32 雲スライム

冬の日に、なんだか雪がふりそうだなと感じるときがないだろうか？
あの空高い雲の中にあることはわかっているが、まだ地面に落ちてきていないもの。
それがまさにこのスライムだ！　この「雪」でいっぱいのふわふわ雲は、
手の中で遊ぶことができる。

大人といっしょに

口に入れない

材料

- スノーパウダー：大さじ1（15グラム）
- 水：100ミリリットル
- せんたくのり：100ミリリットル
 （成分にPVAと表示されているもの）
- 木工ボンド：小さじ1
 （コニシ ボンド木工用）
- 好きな色の食用色素：6滴
 （お好みで）
- ペパーミントオイル：3滴（お好みで）
- 水：小さじ2
- ホウ砂溶液：小さじ1

ホウ砂溶液の材料

- ホウ砂：小さじ1
 （約4.5グラム、薬局で買える）
- 60℃のお湯：100ミリリットル

道具

- ボウル：2
- 耐熱カップ
- プラスチックカップ
- ゴムベラ
- スプーン

作り方

［下準備（ホウ砂溶液を作る）］

① 耐熱カップに60℃ぐらいのお湯（100ミリリットル）をそそぐ。
② そこにホウ砂（小さじ1）を入れ、しっかりととかす。

1　ボウルにスノーパウダー（大さじ1）を入れ、水（100ミリリットル）をくわえる。
2　この「雪」は水をくわえるにつれて成長していく。
3　これをよけておく。
4　からのボウルにせんたくのり（100ミリリットル）とボンド（小さじ1）を入れ、ゴムベラでむらがなくなるまでよくまぜる。
5　食用色素やペパーミントオイルを使うときは、ここでまぜる。
6　プラスチックカップに水（小さじ2）とホウ砂溶液（小さじ1）を入れ、スプーンでかきまぜる。
7　せんたくのりの入ったボウルにプラスチックカップの中身（うすめたホウ砂溶液）を入れ、ゴムベラでかきまぜる。
8　ぐちゃぐちゃがボウルの内側からはなれるようになったら準備完了。
9　ボウルの中身を出したら、べとべとしすぎなくなるまで、こねて、のばして、ひっぱる。
10　そこでこのぐちゃぐちゃを雪の入った容器に入れる。
11　雪がスライム状になるまで本当によくこねる。
12　スライムが雪でいっぱいになり、雪がおちてこなくなるまで遊ぶ。
13　これでかんぺきな雲スライムができあがった！

ヒント

□密閉容器で保存すること。

33 食べられるグミベアスライム

むしゃむしゃ、ぺちゃぺちゃ。むしゃむしゃ、ぺちゃぺちゃ、ひっぱって遊ぼう。もう一回。
このスライムは食べられる材料だけで作られているので、
イマジネーションをふくらます。これ以上おいしいぐちゃぐちゃはない。

大人といっしょに　　食べられる

材料

- グミベア：2ふくろ
  （100グラムのふくろを2つ）
- 植物性食用油：小さじ1
- 好きな味のゼリーの素：小さじ1
  （ハウス食品 ゼリエース）
- パウダーシュガー：大さじ2
  （16グラム）
- コーンスターチ：大さじ2
  （16グラム）

道具

- レンジで使えるボウル
- 耐熱のゴムベラ
  または木ベラ

作り方

1　グミベアをボウルの中にもる。

2　食用油をグミベアにふりかける。

3　大人に手伝ってもらい、ボウルを電子レンジに入れる。

4　電子レンジで20秒ずつ熱をくわえて、そのたびによくかきまぜる。

5　グミベアがむらのない液体になったら、大人にたのんでボウルを
　レンジから出してもらう。あついので注意!

6　少しさましてから好きな味のゼリーの素（小さじ1）とパウダーシュガー
　（大さじ2）、コーンスターチ（大さじ2）を入れて木ベラでまぜる。

7　ゆるくなりすぎたら、パウダーシュガーをくわえる。

8　かたすぎたら、油を少しくわえる。

9　ちょうどよくなったら、よくのびてくっついて食べられるスライムの
　できあがり!

 ヒント

□密閉容器で保存すること。　　□保存できる時間が短い。

34 ファジースライムモンスター

モンスターがみんなこわいわけではない。かわいいのもべとべと、ぐちゃぐちゃなのもいる。
この超クールなレシピを完成させたらいったいどんなモンスターになるだろう?
できあがったものはあなただけのモンスター。それが何かは自分で決めよう。

材料

- せんたくのり:100ミリリットル
  (成分にPVAと表示されているもの)
- 木工ボンド:小さじ1
  (コニシ ボンド木工用)
- 好きな色のアクリル絵の具:
  小さじ2 (10ミリリットル)
- コットンボール:4つをちぎったもの
- 動眼 (人形用の動く目玉):いろいろ
  なサイズがあると楽しい
- グリッター:48グラム (お好みで)
- カラフルな羽 (お好みで)
- モール(お好みで):6つに切り分ける
- 水:小さじ1 (5ミリリットル)
- ホウ砂溶液:小さじ1 (5ミリリットル)

ホウ砂溶液の材料

- ホウ砂:小さじ1
  (約4.5グラム、薬局で買える)
- 60℃のお湯:100ミリリットル

道具

- 大きいボウル   - ゴムベラ
- 耐熱カップ   - スプーン
- プラスチックカップ

作り方

[下準備(ホウ砂溶液を作る)]
① 耐熱カップに60℃ぐらいのお湯 (100ミリリットル) をそそぐ。
② そこにホウ砂 (小さじ1) を入れ、しっかりととかす。

1　せんたくのり (100ミリリットル) と木工ボンド (小さじ1) をボウル
　に入れ、よくまぜる。
2　プラスチックカップに水 (小さじ1) とホウ砂溶液 (小さじ1) を入
　れ、スプーンでかきまぜる。
3　ボウルにプラスチックカップの中身 (うすめたホウ砂溶液) をくわ
　え、よくかきまぜる。
4　スライムがボウルの内側からやっとはなれるくらいになるようにする。
5　お好みでアクリル絵の具、グリッターをくわえ、色むらがなくなるま
　で、たたいたりつぶしたりする。
6　ちぎったコットンボールをひとつずつつぶして、スライムの中に折り
　こんでいく。
7　コットンを入れ終わったら、この「けばだった」(ファジーな) スライ
　ムをボウルから取り出して、モンスターの形にする。
8　好きなだけ目玉をつける。
9　頭のてっぺんにカラフルな羽をつけてかみのけにしてもよい。
10　モールで、うで、つの、そしてはななどを想像力を使ってくっつける。
11　あなただけのファジースライムモンスターのできあがり。

ヒント

□ 切り分けたモールはとがっているので注意して使うこと。
□ 密閉容器で保存すること。

35 キョロキョロ目玉スライム

すけているねばねばのむこうからあなたを見つめているものはなんだ？
あのぐにゃぐにゃつるつるのスライムなのか？　きっとそうにちがいない。
目玉が多ければ多いほど、この超クネクネのかたまりで遊ぶのが楽しくなる。

材料

- 60℃ぐらいのお湯：
  250ミリリットル
- ホウ砂：小さじ2½（11グラム）
- せんたくのり：150ミリリットル
  （成分にPVAと表示されているもの）
- 水：大さじ2（30ミリリットル）
- 動眼：50グラム

道具

- 耐熱のゴムベラまたは木ベラ
- ボウル：2

作り方

1 大人に手伝ってもらいボウルにホウ砂（小さじ2½）と60℃ぐらいのお湯（250ミリリットル）を入れて、完全にとけるまでかきまぜる。

2 このボウルは横においておく。

3 2つ目のボウルにせんたくのり（150ミリリットル）を入れる。

4 水（30ミリリットル）をゆっくりと入れてグルーをうすめる。泡ができすぎないように注意すること。

5 せんたくのりのボウルの中身をホウ砂溶液のボウルに入れる。

6 ホウ砂溶液の中のせんたくのりをゆっくりと30秒間かきまぜる。

7 まぜたものを約5分間そのままにしておく。

8 時間がきたら、スライムを水の中から取り出し、きれいなかわいた場所に手で広げる。

9 スライムの真ん中に動眼を全部おく。

10 目玉をつつむようにスライムをたたむ。

11 全体がむらがなくなるまでたたいたりつぶしたりする。

12 目玉がスライムからいろんな方向を見つめていたらできあがり！

ヒント

□ 密閉容器で保存すること。

36 変色スライム

あれはピンク？　それとも黒？　いや両方かもしれない！
このレシピにある熱変色性顔料（サーモインク）を使えば、あなたのスライムの色を
決めるのは温度だ。いったいどうやってそんなことがおきるのだろうか！？

大人といっしょに　　口に入れない

材料

- せんたくのり：100ミリリットル
  （成分にPVAと表示されているもの）
- 木工ボンド：小さじ1
  （コニシ ボンド木工用）
- 熱変色性顔料（日本教材システム
  サーモインク）：30〜46ミリリットル
  （インターネットで買える）
- シェービングクリーム：80グラム
- ハンドローション：大さじ1
  （15ミリリットル、アトリックスハンドミルク）
- ベビーパウダー：小さじ1
- ホウ砂溶液：小さじ3

ホウ砂溶液の材料

- ホウ砂：小さじ1
  （約4.5グラム、薬局で買える）
- 60℃のお湯：100ミリリットル

道具

- ボウル
- ゴムベラ
- 耐熱カップ

作り方

[下準備（ホウ砂溶液を作る）]

① 耐熱カップに60℃ぐらいのお湯（100ミリリットル）をそそぐ。
② そこにホウ砂（小さじ1）を入れ、しっかりととかす。

1　せんたくのり（100ミリリットル）とボンド（小さじ1）と水（50ミリリットル）をボウルに入れ、ゴムベラでむらがなくなるまでよくまぜる。

2　熱変色性顔料（サーモインク）をくわえてよくまぜる。まわりをよごしやすいので注意すること。

3　ふわふわにするために、シェービングクリームをくわえ全体にむらがなくなるまで折りたたむようにまぜる。

4　ハンドローション（大さじ1）とベビーパウダー（小さじ1）をくわえる。

5　ホウ砂溶液（大さじ3）を小さじ1ずつくわえ、くわえるたびに強くかきまぜる。

6　ボウルからぐちゃぐちゃのかたまりを取り出し、べとつかなくなるまでこねる。ずっとこれで遊んでいたくなるにちがいない。

ヒント

□スライムで遊ぶ前に、手を温めておくために息をふきかけたりこすりあわせたりするとよい。スライムが温かいほど色の変化が大きくなる。

□スライムの表面に氷をこすりつけてみよう。温度が下がるほど色の変化が大きくなる。

□スライムをチャックつきのふくろに入れて、お湯が入ったカップをつけてみよう。温度が上がるほど色の変化が大きい。あついので大人とやろう。

□サーモインクの代わりにジェルネイルやクラフトで使われる「カメレオンパウダー」でも温度変化で変色が楽しめる。

□密閉容器で保存すること。

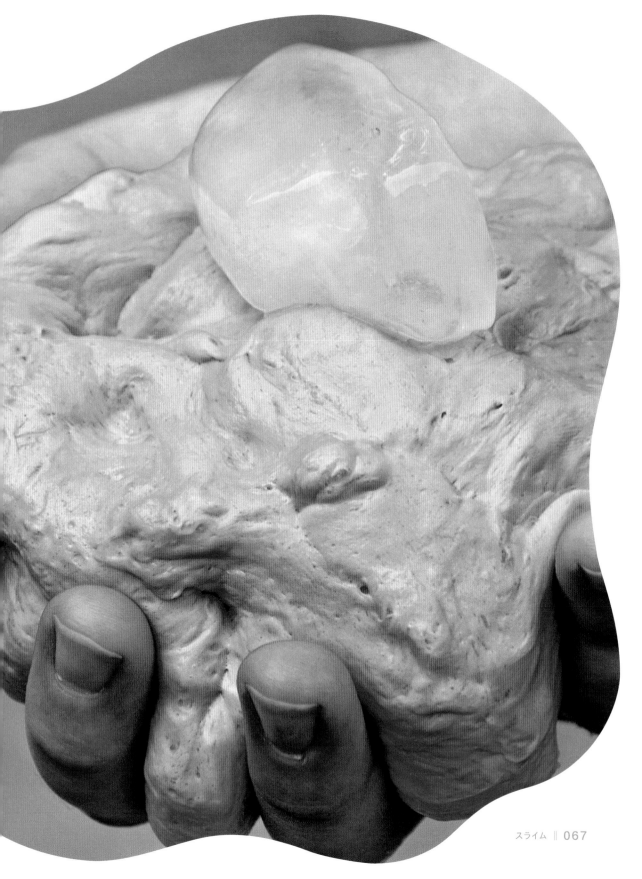

37 つやつやスライム

スライムってどれもつやつやしていなかったっけ?
いや、このスライムは特別つやがある。つぶしたりひっぱったり
ねじったりして遊んでいると、まるでプリンプリンとかがやくようなつやを見せる。

材料

- せんたくのり:100ミリリットル
  (成分にPVAと表示されているもの)
- 木工ボンド:小さじ1
  (コニシ ボンド木工用)
- ベビーオイル:大さじ2
  (30ミリリットル)
- ベビーパウダー:小さじ2
  (6グラム)
- 水:10ミリリットル
- 食用色素(お好みで):6滴
- 水:小さじ2(10ミリリットル)
- ホウ砂溶液:小さじ1(5ミリリットル)

ホウ砂溶液の材料

- ホウ砂:小さじ1
  (約4.5グラム、薬局で買える)
- 60℃のお湯:100ミリリットル

道具

- ボウル　　　　- ゴムベラ
- 耐熱カップ　　- スプーン
- プラスチックカップ

作り方

[下準備(ホウ砂溶液を作る)]
① 耐熱カップに60℃ぐらいのお湯(100ミリリットル)をそそぐ。
② そこにホウ砂(小さじ1)を入れ、しっかりととかす。

1 ボウルにせんたくのり(100ミリリットル)とベビーオイル(大さじ2)を入れてよくかきまぜる。
2 ベビーパウダー(小さじ2)をくわえ、よくまぜる。
3 お好みで食用色素を入れ、全体にむらがなくなるまでよくまぜる。
4 プラスチックカップに水(小さじ2)とホウ砂溶液(小さじ1)を入れ、スプーンでかきまぜる。
5 ボウルにプラスチックカップの中身(うすめたホウ砂溶液)を少しずつくわえ、くわえるたびにはげしくかきまぜる。
6 ボウルの内側からすぐはなれるようになったら完成。
7 スライムをボウルから取り出す。
8 べとつかなくなるまで、こねたりのばしたりをくりかえす。

ヒント

□ このスライムで遊ぶときは、手にベビーオイルをぬっておくと、スライムがくっつきにくくなる。
□ 密閉容器で保存すること。

38 チータースライム

黒とオレンジ色で超速いものはなーんだ？　もちろん、チーターだ。
でも、このスライムだって。すばやく作る、それだけだ。
さあ、10分以内に自分だけのチーターを作ってあそぼう。

材料

- せんたくのり：50ミリリットル
  （成分にPVAと表示されているもの）
- 水：50ミリリットル
- 食用色素（オレンジ、または赤と黄色
  をまぜる）：10滴
- 小さくて黒いビーズ：20グラム
- 水：小さじ1（5ミリリットル）
- ホウ砂溶液：小さじ1（5ミリリットル）

ホウ砂溶液の材料

- ホウ砂：小さじ1
  （約4.5グラム、薬局で買える）
- 60℃のお湯：100ミリリットル

道具

- ボウル
- ゴムベラ
- 耐熱カップ
- スプーン
- プラスチックカップ

作り方

［下準備（ホウ砂溶液を作る）］

①　耐熱カップに60℃ぐらいのお湯（100ミリリットル）をそそぐ。
②　そこにホウ砂（小さじ1）を入れ、しっかりととかす。

1　ボウルにせんたくのり（50ミリリットル）と水（50ミリリットル）を
　　ゆっくりとボウルに入れてまぜる。
2　まぜるときは「ホイップ」（あわだて）しないように。できるだけ空
　　気がまざらないようにするためだ。
3　プラスチックカップに水（小さじ1）とホウ砂溶液（小さじ1）を入
　　れ、スプーンでかきまぜる。
4　ボウルにプラスチックカップの中身（うすめたホウ砂溶液）を入れ、
　　ゴムベラでまぜる。
5　食用色素をくわえ、まぜつづける。
6　スライムがボウルの内側からはがれおちるようになったらひとまず
　　ぐちゃぐちゃの完成。
7　ビーズをくわえ、むらなく広がるまでよくこねる。
8　これでかっこいいチータースライムのできあがり。

ヒント

□密閉容器で保存すること。

39 とうめいスライム

このとうめいスライムのレシピをもとにして、さまざまなスライムレシピを作ることができる。
何かをくわえても、そのままで遊んでも、このスライムはめちゃめちゃクールだ!
まるで水でなにかの形を作って遊んでいるみたいだ。
きっと友だちは混乱し、そして心からおどろくだろう。

材料

- 60℃のお湯：125ミリリットル
- ホウ砂：小さじ¼
- せんたくのり：150ミリリットル
  （成分にPVAと表示されているもの）
- 水：125ミリリットル

道具

- ボウル：2
- スプーン
- 耐熱のゴムベラまたは木ベラ

作り方

1 大人に手伝ってもらい、ボウルにお湯とホウ砂（小さじ¼）を入れ、完全にとけてホウ砂溶液ができるまでスプーンでかきまぜる。
2 このボウルは横においておく。
3 2つ目のボウルにせんたくのり（150ミリリットル）を入れる。
4 水（125ミリリットル）をゆっくりとくわえてせんたくのりをうすめる。このときできるだけ泡が入らないように、ゆっくりゴムベラでまぜること。
5 せんたくのりのボウルの中身をホウ砂溶液のボウルにそそぐ。
6 水の中でせんたくのりをゆっくりと30秒ほどまぜる。
7 そのまま5分ほどおいておく。
8 時間が来たらホウ砂溶液の中のスライムをあと1分間手でこねる。
9 ボウルからスライムを取り出し、のばしたりたたんだりする。
10 このスライムを通して向こう側が見えるはずだ。

ヒント

□ 使わなかったホウ砂溶液はかならずすてること。
□ 密閉容器で保存すること。

ねんど

（プレイドウ）

PLAYDOUGH

この本に出てくる「ねんど」遊びで
大切なのは、つぶしたりのばしたりすること。
ぺちゃっとつぶしたりくねくねと
のばしたりするのは楽しいし、
彫刻やデザインだってできる。
ねんどの中には自然のものだけでできているものも、
ケーキのアイシングで作られているものもあって、
とにかくどれもおどろくほどクールで楽しい！
色や手ざわりのちがうものをまぜて、
どんなものでも作ることができる！

40 世界一の手作りねんど

お店で売っているねんどの代わりになって、作るのも楽しいねんどはいかが？
これがあれば、何時間でもげらげら、くすくす笑いながらねんど遊びができる。
これは世界一の手作りねんどだ。

大人といっしょに

口に入れない

材料

- 小麦粉（中力粉）：240グラム
- 塩：80グラム
- クリームターター
 （酒石酸水素カリウム）：10グラム
- 食用油：大さじ2
- 熱湯：160〜200ミリリットル
- 食用色素（お好みで）

道具

- 大きいボウル
- 耐熱のゴムベラまたは木ベラ

作り方

1 大きいボウルに小麦粉（240グラム）、塩（80グラム）、クリームターター（10グラム）を入れる。
2 食用油をくわえてよくかきまぜる。
3 大人に手伝ってもらい、熱湯（160〜200ミリリットル）をじゅうぶん注意しながら、少しずつボウルにそそぐ。そそぐたびによくまぜる。とてもあついので注意すること。
4 ボウルの中身すべてがねんどのようになるまでかきまぜる。
5 完全に冷ましてから、ねんどを丸めてボールを作る。
6 ボールの中央をへこませて、そこに食用色素を数滴たらす。
7 全体がむらがなくなるまで両手でよくこねてまぜる。これで手作りねんどのできあがり！

ヒント

□ジェル状の食用色素を使うと液体のものより、あざやかな色がでる。
□食用色素をねんどにまぜるとき、手に色がつくことがあるので、ゴム手ぶくろを使うとよい。
□テーブルなどをよごさないように、ねんどはボウルの中に入れておくこと。
□小麦粉をだんご粉（米粉）のかわりにすることもできる。そのときは食用油と塩を少しへらすとよい。
□密閉容器で保存すること。
□水をくわえるともとにもどる。

41 ホットチョコレートねんど

ホットチョコレートはだれもが幸せを感じる飲み物。リラックスして出かけたい気持ちになる。
このホットチョコレートねんどは寒い冬の日にぴったり。
もっと楽しくするならマシュマロねんど（080ページ）といっしょにカップに入れれば、
本物のホットチョコレートそっくりだ！

大人といっしょに　　口に入れない

材料

- 水：480ミリリットル
- 小麦粉（中力粉）：180グラム
- 粉末ココア：80グラム
- 塩：80グラム
- 植物油：大さじ2～3

道具

- なべ
- 耐熱のゴムベラまたは木ベラ
- クッキングシート

作り方

1　なべに水（480ミリリットル）と小麦粉（180グラム）、ココア（80グラム）、塩（80グラム）、植物油（大さじ2）を入れてよくかきまぜる。

2　大人にたのんで、なべをかきまぜながら弱火で3分ほど、生地状になるまで熱をくわえる。

3　生地が冷めたらワックスペーパーの上におく。

4　生地をむらがなくなるまでこねる。

5　家の中がホットチョコレートのいいにおいでいっぱいになるはずだ！

ヒント

□生地があぶらっぽいとかんじたらココアをくわえる。
□密閉容器で保存すること。
□保存できる時間が短い。

42 マシュマロねんど

マシュマロねんど作りはみんなが思っている以上に楽しい！
長い時間遊びすぎるとべとべと、ぐちゃぐちゃになることもあるけど、それも楽しみのうち！

大人といっしょに

口に入れない

材料

- ミニマシュマロ：35グラム
- 植物油：小さじ2
- コーンスターチ：30〜60グラム
- 食用色素：6〜7滴（お好みで）

道具

- 大きい電子レンジ対応ボウル
  （マシュマロはあつくなると
  ふくらむので大きめがよい）
- 耐熱のゴムベラまたは木ベラ

作り方

1　大人に手伝ってもらい、レンジ対応ボウルにマシュマロ（35グラム）と油（小さじ2）を入れ、約30秒間熱をくわえる。

2　ボウルをレンジから出してよくかきまぜる（ボウルはあつくなっているので大人に出してもらう）。食用色素を使うときはここで入れる。

3　ボウルをレンジにもどして、マシュマロが大きくなりはじめるまで熱をくわえる。

4　ボウルをレンジから出し、コーンスターチ（30〜60グラム）をくわえてかきまぜる。生地がベタベタしすぎなくなるまでコーンスターチをくわえてまぜる。これで、よくのびるねんどのできあがりだ！

ヒント

☐生地がべたつくときはコーンスターチをくわえる。

☐食用色素のかわりに色のついたマシュマロを使うこともできる。ただし、色をわけてから別々に熱をくわえること。

☐密閉容器で保存すること。

☐保存できる時間が短い。

43 食べられるアイスクリームねんど

このねんどは見た目がアイスクリームそっくり。
私の好きな遊び方は、アイスクリームスクープですくって本物のワッフルコーンに入れること。
もっと楽しくするなら、チョコレートパフェのトッピングをくわえれば、ごうかなおやつになる！

材料

- フロスティング（Betty Crocker Rich
  &Creamy Frosting）：
  100グラム（インターネットで買える。
  楽しい色を見つけよう！）
- パウダーシュガー：100グラム
- ワッフルコーン

道具

- ボウル
- ゴムベラ
- アイスクリームスクープ
  （アイスクリームをすくう道具）

作り方

1 アイシング（100グラム）を全部ボウルに入れる。
2 パウダーシュガー（100グラム）を少しずつくわえていき、よくまざ
   るようにする。
3 スクープで生地をすくってワッフルコーンに入れれば、ちょっとバカ
   バカしいいたずらができる！

ヒント

□ 生地がポロポロとくずれるときは、
　ほんの少し油をくわえると
　よくのびるようになる。
□ 密閉容器で保存すること。
□ 保存できる時間が短い。

44 われたたまごねんど

友だちをびっくりさせたいって？　このねんどは本当に本物のたまごにそっくりだ。
黄色い「黄身」ねんどのまわりを、ねちゃねちゃでやわらかいとうめいなどろどろが
つつんでいる。友だちが「から」をひらいたら、息をのんでからくすくす笑うことまちがいなし！

大人といっしょに 口に入れない

材料

- とうめいねんど（091ページ）の
  かたまり：1
- 世界一の手作りねんど
  （076ページ）の
  黄色いかたまり：1

道具

- ボウル：2つ
- プラスチック製イースターエッグ
  （たまごのから）：2ふくろ

作り方

1　とうめいねんどをボウルに入れる。
2　黄色い手作りねんどでたまごのきみくらいの大きさの小さな球を
　　作る。球は手の中でころがすようにすると作れる。
3　作った黄色い球を2番目のボウルに入れる。
4　プラスチック製イースターエッグを1つひらく。
5　片方のからにとうめいねんどのたまごを入れる。
6　黄色い球を1つ、このとうめいなべたべたの中におしこむ。
7　もう一方のイースターエッグにとうめいねんどをつめる。
8　たまごの半分ずつを合わせてくっつける。
9　プラスチックたまごの数だけくりかえす。

ヒント

□まわりをよごしやすいので、楽しいたまごたちはテーブルの上か、か
　たい面の上で作るとよい。
□密閉容器で保存すること。
□保存できる時間が短い。

45 ケーキ生地ねんど

ケーキ生地の手ざわりはなんとも説明しにくいが、このねんどの手ざわりは
本当にそれと同じだ！　これは、ママとパパがキッチンでケーキを焼いていて、
子どもたちの手をいそがしくさせておきたいときにぴったりなプロジェクトだ！

口に入れない

材料

- コンフェッティ・ケーキミックス
  （Pillsbury Funfetti）：100グラム
- フロスティンアイシング（Betty
  Crocker Rich & Creamy Frosting）：
  100グラム（インターネットで買える）
- カラースプレー：20グラム

道具

- ボウル
- ゴムベラ

作り方

1　ボウルの中でケーキミックス（100グラム）とフロスティング（100
　　グラム）をよくまぜる。

2　よくこねればこねるほど、ねんどのようになる。

3　気に入ったやわらかさで安定したら、カラースプレーをくわえる。

4　あとはこの生地ねんどで遊ぶだけ。クッキーカッターで好きな形に
　　ぬくこともできる！

ヒント

□ 生地がべたつくときは、コーンスターチをくわえる。
□ 密閉容器で保存すること。
□ 保存できる時間が短い。

46 ラベンダーねんど

人はときどき、おちついて何かをぐちゃっとつぶしたくなる。
このラベンダーねんどは、そんな場面にぴったりだ。
その香りは自然に心をおちつかせ、小枝はぱりぱりとした手ごたえをくれる!

材料

- 水：150ミリリットル
- 塩：80グラム
- 植物油：大さじ2
- クリームターター
  （酒石酸水素カリウム）：20グラム
- 小麦粉（中力粉）：250グラム
- ラベンダーの小枝

道具

- ボウル
- 耐熱のゴムベラまたは木ベラ

作り方

1 大人に手伝ってもらいお湯をわかす。
2 その間に、ボウルに塩（80グラム）、油（大さじ2）、クリームターター
   （20グラム）、小麦粉（250グラム）を入れてよくまぜる。
3 大人にたのんで沸騰したお湯を少しずつボウルにそそいでもらい、
   生地がボールのようになるまで耐熱のゴムベラでかきまぜる。
4 少し冷ます。
5 冷めたらボウルから生地のボールを取り出し、調理台の上におく。
6 両手でねんどになるまでこねる。
7 ラベンダーの花びらをねんどにちらす。
8 ねんどを折りたたむようにして花びらをまぜれば、おちついた気
   持ちになりたいときのためのねんどのできあがりだ。

ヒント

☐ 生地がべたつくときは、小麦粉を少しずつくわえる。
☐ 生地がかわきすぎたときは、水か油を少しずつくわえる。
☐ 密閉容器で保存すること。

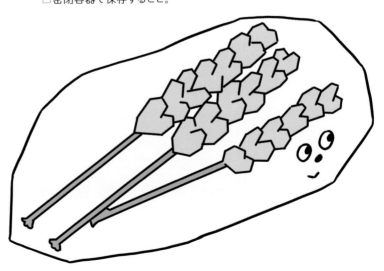

47 いちばんやわらかいねんど

何かやわらかいもの、と言われてねんどを思い出す人はあまりいないだろうが、
このねんどは本当にやわらかくてなめらかなので、
ほかのものでは遊びたくなくなるかもしれない！

口に入れない

材料

- 乳液（香りあり／なしどちらでも）：
  120ミリリットル
- コーンスターチ：150グラム
- 食用色素（粉末の方がよい）：少し

道具

- 大きなボウル

作り方

1 大きなボウルにコーンスターチ（150グラム）と食用色素を入れて
  まぜる。
2 乳液を少しずつくわえてよくまぜる。
3 いちばんソフトでなめらかな生地になるまで両手でこねる。

ヒント

□ べたつくときは、コーンスターチを少しくわえる。
□ 密閉容器で保存すること。

48 天然染色ねんど

まだチューブやびんに入った食用色素がなかったころ、
人々はくだものや花やスパイスなどを使って食べ物の色を変えていた。
同じことはねんどでもできる。食用色素や顔料を一切使わずに、ねんどの色を変えよう!

オトナといっしょに　口に入れない

材料

- ブルーベリー：30つぶ
- 水：240ミリリットル
- 小麦粉（中力粉）：60グラム
- 食塩：20グラム
- クリームターター
  （酒石酸水素カリウム）：5グラム
- 植物油：大さじ1½

道具

- 片手なべ
- ペーパータオル
- ボウル
- 耐熱のゴムベラまたは木ベラ
- スプーン

作り方

1　（大人といっしょに）なべにブルーベリー（30つぶ）と水（240ミリリットル）を入れ、火にかけて沸騰させる。

2　火力を弱めて30分間、全体にむらがなくなるまで、にたてる。

3　30分間冷ます。

4　ボウルにペーパータオルをかぶせ、その上からなべの中身をそそぎ、ペーパータオルを通してボウルに入れる。これで、ねんどに入れたくないものを取りのぞく。

5　ボウルにはとても深い青紫の液体がのこる。

6　これが、ねんどに色をつけるための染料だ!

7　次に、洗ったなべに小麦粉（60グラム）、食塩（20グラム）、クリームターター（5グラム）、植物油（大さじ1½）を入れ、さきほど作った染料（120ミリリットル）をくわえる。

8　（大人といっしょに）なべを弱火にかけて、よくまぜながら中身がボールのようになるまで熱をくわえる。

9　さわってもやけどをしないでキッチンカウンターにおけるくらいまで冷ます。

10　ねんどらしくなるまで、手でよくこねる。

ヒント

□ 生地がべたつくときは、小麦粉をふりかける。

□ 生地がかわきすぎたときは、少量の水か油をくわえる。

□ テーブルやカウンターがよごれるのが心配なときは、クッキングシートをしくとよい。

□ 密閉容器で保存すること。

□ 保存できる時間が短い。

49 羽毛ねんど

この超カンタンに作れる羽毛のようにやわらかいねんどは、
大人といっしょにキッチンで楽しく充実した時を過ごすのにぴったりだ。
型に流しこんだり、つぶしたり、切ったり、形を作ったり、何をするにも、
この4つの材料からなるねんどがたのしい時間をくれることはまちがいない。

大人といっしょに

口に入れない

材料

- コーンスターチ：40グラム
- 重曹：80グラム
- 水：60ミリリットル
- ベビーオイル：大さじ1
- 食用色素（お好みで）

道具

- ちいさな片手なべ
- 耐熱のゴムベラまたは木ベラ
- クッキングシート

作り方

1 小さめの片手なべにコーンスターチ（40グラム）、重曹（80グラム）、水（60ミリリットル）を入れてかきまぜる。
2 大人に手伝ってもらい、なべを火にかけて中火で熱をくわえる。
3 十分に注意!!　大人といっしょに中身をまぜつづける。
4 やがて、あわがたって少しかたまりはじめるが、まぜつづける!
5 3分ほどで生地がボールのようになる。
6 大人にたのんでなべを火からおろして冷ます。
7 火を消すのを忘れずに!!
8 大人にたのんで、ボールをキッチンペーパーの上でのばす（熱いので注意!）。
9 完全に冷めたら、ベビーオイルをまぜてこねる。
10 お好みで、食用色素を1〜2滴たらして楽しみをふやす。あとは、遊ぶだけだ!

ヒント

□ 香りのついたシャワージェルや、好きなにおいのエッセンシャルオイルをくわえてこねれば、あなただけのねんどができる。
□ ラップで包むか、密閉容器で保存すること。
□ 水をくわえるともとにもどる。

50 とうめいねんど

このとうめいねんどは、完全にどうかしている。ふつうのねんどのように
好きな形を作ることができるのに、とうめいなのだ。つまり、基本的に目に見えない！

犬といっしょに

口に入れない

材料

- ホウ砂：小さじ1
  （約4.5グラム、薬局で買える）
- 水：720ミリリットル
  （240ミリリットル×3）
- ピールオフパック（はがせるとうめい
  フェイスパック）：チューブ1本
- タピオカボール：10個

道具

- ゴムベラ
- 電子レンジ対応ボウル
- ボウル

作り方

1 ボウルにホウ砂（小さじ1）と水240ミリリットルを入れてかきまぜる。
2 フェイスマスクをチューブからボウルに入れて、生地がかたまるまでよくかきまぜる。
3 ホウ砂溶液の中から生地を取り出し、のこった溶液に水240ミリリットルをくわえる。
4 生地をボウルにもどして、形をつくれるようになるまでこねる。
5 電子レンジ対応ボウルにタピオカボールと水240ミリリットルを入れる。
6 大人に手伝ってもらい、電子レンジで約30秒間、水がにごるまで熱をくわえる。
7 最後に生地をタピオカ溶液の中に入れて、表面をつやけし加工する。

ヒント

□ 生地の表面をつやけしではなく光沢仕上げにしたいときは、タピオカボールの作業をスキップすればよい。

51 グリッターねんど

このグリッターねんどは、生活にちょっとしたかがやきが必要な人たちのために、
特別にきらきらを多くしてある。クレイジーに楽しみたいときは、
これを持って外へ出るときらきらがおどるところを見られるかもしれない。

大人といっしょに　　口に入れない

材料

- 紙おむつ：3枚（メリーズ）
- 水：240ミリリットル
- グリッター：120グラム
- 食用色素：3〜5滴
- コーンスターチ：30〜45グラム

道具

- ボウル

作り方

1　紙おむつをひらいて、中に入っているちいさなつぶをボウルに入れる。

2　水をそそいで、つぶに水をすわせると、ベトベトした水晶のようなものができる。

3　そこにグリッターと食用色素とコーンスターチをくわえて、両手でこねる。クールでぐちゃぐちゃしたねんどができあがる。

ヒント

□紙おむつのサイズによって、水の量はへらしたりふやしたりする必要があるかもしれない。

□紙おむつがない場合は、インスタントスノーをかわりにできる。

52 いろんな手ざわりねんど

このおかしなごつごつした生地（きじ）でごちゃごちゃを楽しもう。
でこぼこ、ごつごつ、ざらざらしたおどろきの体験（たいけん）！
いろいろな手ざわりを感じてほしい。どれが何か、目をつぶっていてもわかるだろうか？

口に入れない

材料

- 小麦粉（中力粉）：500グラム
- 食塩：160グラム
- クリームターター
  （酒石酸水素カリウム）（しゅせきさんすいそ）：30グラム
- 液体ココナツオイル：
  大さじ2
- 水：300～450ミリリットル
- 好きな色の食用色素（しょくようしきそ）：3滴（てき）
- プレイサンド（あそび砂）：
  180グラム（ホームセンターや
  インターネットで買える）
- 米：50グラム
- 乾燥（かんそう）レンズ豆：50グラム
- 水槽用（すいそう）の小石：100グラム
  （100円ショップでも買える）

道具

- プラスチック容器
  （30×20×15センチくらいがぴったり）

作り方

1 プラスチック容器に、小麦粉（500グラム）、食塩（160グラム）、
   クリームターター（30グラム）、ココナツオイル（大さじ2）を入れ、
   手でかきまぜる。
2 水（300～400ミリリットル）を少しずつくわえてこねる。
3 こぶしでパンチして、生地の真ん中にへこみを作る。
4 食用色素、プレイサンド、米、レンズ豆、小石をへこみに入れる。
5 生地をこねて、つぶして、むらがなくなるようにする。

ヒント

□乾燥レンズ豆やマカロニ、乾麺（かんめん）、ビーズなどいろいろなものをためし
  てみるとよい。
□イマジネーションを自由気ままにはたらかせよう！
□密閉容器（みっぺい）で保存（ほぞん）すること。

53 超カンタン材料2つだけねんど

この材料2つだけの超カンタンなねんどを作るだけでも、
おどろきとほほえみが生まれることまちがいなし。思いっきりちらかして楽しもう。

口に入れない

材料

- 小麦粉（中力粉）：125グラム
- お好みのハンドソープまたは
  ボディソープ：ポンプ2〜3押し

道具

- 大きいボウル

作り方

1 小麦粉（125グラム）をボウルに入れる。
2 ハンドソープまたはシャワージェルをくわえる。
3 手でまぜて、こねる。
4 生地がかわきすぎていたら、ソープかジェルをくわえる。
5 生地が水っぽいときは、中力粉をくわえる。
6 しっかりと自分の手をべとべとにしながらよくまぜてよくこねること。好みのかたさと手ざわりになったらできあがり！

ヒント

□ハンドソープやボディソープの種類で入れる量がちがう（「キレイキレイ 薬用液体ハンドソープ」の場合は、ポンプ60押しぐらい必要）。
□密閉容器で保存すること。

54 シェービングクリームねんど

このねんどは、あたたかい夏の日にぬれてもよごれてもいい外で作るのが最高。
軽くてふわふわのすごいねんどだ。ただしこれを作るために
シェービングクリームのかくし場所に入る前に、
大人のゆるしをもらっておくことを忘れずに。このねんどは本当に楽しい！

口に入れない

材料

- シェービングクリーム：
  1本（200グラム）
- コーンスターチ：360グラム
- 食用色素（お好みで）
  しょくようしきそ

道具

- 大きいボウルまたは
  プラスチックおけ

作り方

1 大きいボウルまたはおけにシェービングクリーム（200グラム）を入れる。
2 コーンスターチ（360グラム）を少しずつくわえる。
3 くわえるたびによくまぜて押しつぶす。
4 色を変化させたいときは、ここで食用色素を数滴入れる。
5 手で生地をこねて、ぴちゃぴちゃしたボールにする。
6 かたすぎたらシェービングクリームをくわえる。
7 やわらかすぎていたらコーンスターチをくわえる。

ヒント

□ 香りのちがうシェービングクリームをためしてみよう。
□ クッキー型を使ってたのしい形のねんどを作ろう。
□ シェービングクリームを使うので、風とおしのよい場所で作る。

55 くらやみで光るねんど

このレシピでは、「世界一の手作りねんど（076ページ）」を素材にして
このカッコいい光る物体を作る。

犬といっしょに

口に入れない

材料

- 世界一の手作りねんど
  （076ページ）：1かたまり
- 夜光塗料

作り方

1 これに使う「世界一の手作りねんど」には、食用色素を使わない
   でおく。
2 生地が冷めてボールのようになったら、手でつぶして平らにする。
3 夜光塗料をティースプーン小さじ1杯ほどくわえて、生地を手でこ
   ねる。
4 好みの色になるまで、夜光塗料をくわえてはこねる（暗いところで
   たしかめる）。
5 生地がゆるくなりすぎたら、小麦粉をくわえる。
6 できあがったねんどを明るいところに数分間おく。さあ、明かりを
   消してくらやみで光るねんどを楽しもう！

ヒント

□ もっと派手に楽しみたいときは、ブラックライトでてらしてみよう。
□ かがやきを取りもどすには、ねんどを明るい光の下に数分間おけば、
   また光って楽しめるようになる。
□ 密閉容器で保存すること。

56 食べられる ピーナッツバターねんど

ピーナッツバターが大好きだ！　このねんどは楽しいだけでなくおいしい！
切って、つぶして、食べる！　このねんどは2倍楽しめる。

食べられる

材料

- ピーナッツバター
  （クリーミータイプ）：400グラム
- パウダーシュガー：
  300～350グラム

道具

- 大きいボウル

作り方

1 大きいボウルにピーナッツバター（400グラム）を入れる。
2 パウダーシュガー（300～350グラム）を少しずつくわえる。
3 くわえるたびによくまぜて押しつぶす。
4 手でまぜてこねて、ピーナッツバター風味のボールにする。お楽しみあれ！

ヒント

□グラニュー糖をまぶすと、手ざわりが変わる。
□つぶ入り（クランチー）のピーナッツバターを使えば、さらにごつごつした手ざわりになる。
□ピーナッツバター（400グラム）とチョコレートヘーゼルナッツスプレッド（130グラム）を使って、特別楽しいおやつを作ることもできる。
□密閉容器で保存すること。
□保存できる時間が短い。

57 ゼリーねんど

カラフルなねんどで遊ぶよりもっといいことってなんだろう?
それはおいしそうなにおいのするカラフルねんど!
このすばらしい食べられるねんどは、味見してみたくなるかもしれない。
でもちょっと待った! 世の中のものは、においどおりの味がするとはかぎらない。

大人といっしょに

口に入れない

材料

- 小麦粉(中力粉):250グラム
- 食塩:80グラム
- クリームターター
  (酒石酸水素カリウム):20グラム
- ココナツオイル(液体):大さじ2
- 好きな味のゼリーの素:95グラム
  (ハウス食品 ゼリーエース)
- 熱湯:200ミリリットル

道具

- ボウル:大、小
- スプーン
- 耐熱のゴムベラまたは木ベラ

作り方

1　大きいボウルに小麦粉(250グラム)、食塩(80グラム)、クリームターター(20グラム)、ココナツオイル(大さじ2)を入れる。
2　全体をよくまぜる。
3　大人に手伝ってもらい、別のボウルにゼリーの素(95グラム)を入れ、熱湯(200ミリリットル)をそそぐ。
4　ゼリーの素がすべてとけるまでスプーンでかきまぜる。
5　大人にたのんで、とけたゼリーの素をさきほどのボウルに少しずつそそぎ入れ、そのたびに耐熱ゴムベラでよくまぜる。
6　よくかきまぜて生地を作る。
7　生地が冷めたらボウルから出し、平らな面において手でこねる。
8　かたすぎたら、水を少しくわえる。
9　やわらかすぎたら、小麦粉を少しくわえる。さあ、おいしそうなにおいを楽しもう!

ヒント

□酒石酸水素カリウムは生地を少し長持ちさせる効果があるが、永久にではない!
□色をつけたい場合は食用色素を入れる。
□密閉容器で保存すること。
□保存できる時間が短い。

58 キャンディーねんど

みんなキャンディーが大好きだ！
ねんどにまぜれば、ぐにゃぐにゃねばねばの楽しいインスタントレインボウのできあがり！
友だちを連れてきて、いっしょにこのレインボウのすごさを体験しよう！

大人といっしょに

口に入れない

材料

- 好きな色のジェリービーンズ：
  10〜20つぶ
- 水：180ミリリットル
- 小麦粉（中力粉）：250グラム
- 食塩：60グラム
- クリームターター
  （酒石酸水素カリウム）：20グラム
- ココナツオイル（液体）：大さじ1

道具

- 大きいボウル
- 電子レンジ対応容器
- 耐熱ゴムベラまたは木ベラ

作り方

1 レンジ対応容器にジェリービーンズを入れる。
2 水（180ミリリットル）を入れ、大人にたのんで電子レンジで30秒間熱をくわえる。あついので注意！
3 ジェリービーンズを取り出す（色のついた液体がのこる）
4 大きいボウルに、小麦粉（250グラム）、食塩（60グラム）、クリームターター（20グラム）、ココナツオイル（大さじ1）を入れて、全体をまぜる。
5 大人にたのんで、色のついた液体をさきほどのボウルに少しずつそそぎ入れ、そのたびに耐熱ゴムベラでよくまぜる。
6 大人の力をかりて、耐熱ゴムベラを使って生地がボールのようになるまで材料をよくかきまぜる。
7 手に小麦粉をたっぷりつけ、生地のうえで手をたたいてうっすらと粉をまぶす。
8 こうすることでベトベトしすぎるのをふせぐことができる。
9 完全に冷めたら、遊ぶ準備オーケー！　いろんな色でためしてみよう！

ヒント

□ 日本で売っているジェリービーンズでは色水が作れないので、アメリカのお土産でジェリービーンズをもらった時に試してみよう。

59 クッキー生地ねんど

家でクッキーを作ったことがあるだろうか？　おいしそうなにおいとかじってみたときの
あの味、そして作りはじめたときの生地はこれとよくにている！
この楽しくていいにおいのするレシピは、形を作ったり、型でぬいたり、おままごとできる。

大人といっしょに

口に入れない

材料

- オートミール：80グラム
- 小麦粉（中力粉）：60グラム
- クリームターター
  （酒石酸水素カリウム）：15グラム
- ミルクココアの粉：15グラム
- ブラウンシュガー
  （三温糖、黒糖など）：
  6グラム（小さじ1ぐらい）
- バニラエッセンス：小さじ1
- やわらかくしたバター
  またはマーガリン：30グラム
- 冷水：40ミリリットル

道具

- 大きいボウル

作り方

1　大きいボウルに、オートミール（80グラム）、小麦粉（60グラム）、
　　クリームターター（15グラム）、ミルクココア（15グラム）、ブラウン
　　シュガー（6グラム）を入れてまぜる。手を使ってまぜよう！

2　バニラエッセンス（小さじ1）、バター（30グラム）をくわえてよくま
　　ぜる。

3　冷水（40ミリリットル）を少しずつくわえてまぜる。

4　まぜつづける。指の間から生地がでてきて、よくまざっていること
　　を確認すること。

5　完全にまざったら、さあ、あとは遊ぶだけだ！

ヒント

□ チョコレートキャンディー、レーズン、スプリンクルなどをいれて手ざわ
　りを楽しもう。
□ シナモンを小さじ½くわえれば魅力的な味になる。
□ 密閉容器で保存すること。
□ 保存できる時間が短い。

60 ホームメイドバターねんど

バターを家で作るのは楽しいけれども、うでの力とがまんづよさが必要だ。
自家製バターができあがったら、このかんたんなねんどレシピにくわえるだけで、
おどろくほど楽しい遊び道具のできあがりだ。

材料

- 生クリーム（乳脂肪多め）:
  180ミリリットル
- 食塩：小さじ¼と80グラム
  （わけて使う）
- 小麦粉（中力粉）：250グラム
- クリームターター
  （酒石酸水素カリウム）：10グラム
- お湯：80ミリリットル

道具

- スタンドミキサーまたは
  ハンドミキサー
- 大きいボウル
- 耐熱のゴムベラまたは木ベラ

作り方

1 スタンドミキサー（または大きいボウル）に生クリーム（180ミリリットル）と食塩（小さじ¼）を入れて、かたくなるまであわだてる。

2 これでバターができた！

3 そこに、ゆっくりと、小麦粉（250グラム）とのこりの食塩（80グラム）、クリームターター（10グラム）をくわえてよくまぜる。

4 お湯（80ミリリットル）を少しずつくわえ、耐熱のゴムベラでよくまぜる。

5 生地になりはじめたらボウルから取り出して、手でこねる。これでホームメイドバターねんどのできあがりだ！

ヒント

□ ミキサーを使うかわりに、生クリームを密閉容器に入れてかたまるまでまぜてもよい。ふつう8〜10分くらいかかる。

61 銀河ねんど

夜、外に出て空を見上げてみよう。青と紫の流れるくらやみに、
たくさんのかがやく星が見えるだろうか？
ちらちら光るこのねんどは、手のひらにちょっとした銀河を作ってくれる。

大人といっしょに

口に入れない

材料

- 小麦粉（中力粉）：
  125グラムと125グラム
  （わけて使う）
- 食塩：40グラムと40グラム
  （わけて使う）
- クリームターター
  （酒石酸水素カリウム）：10グラムと
  10グラム（わけて使う）
- いちご牛乳パウダー：24グラム
- ブドウのドリンクミックス：1ふくろ
- 活性炭の粉カプセル：
  1つ（開けて中の粉を使う）
- 水：240ミリリットルと
  240ミリリットル（わけて使う）
- ココナツオイル（液状）：
  大さじ1と大さじ1（わけて使う）
- 好きな色のグリッター：
  カップ¼（96グラム、筆者たちはこの
  生地なら紫か銀色がお気に入り！）

道具

- 大きいボウル　- 片手なべ
- 耐熱のゴムベラまたは木ベラ

作り方

1　まず、大人に来てもらうこと。
2　大きいボウルに、小麦粉（125グラム）、食塩（40グラム）、クリームターター（10グラム）、いちご牛乳パウダーを入れてまぜる。
3　片手なべに水（240ミリリットル）とココナツオイル（大さじ1）を入れる。
4　大人に手伝ってもらい、片手なべを火にかける。
5　火力を調節して中火にする。
6　よくかきまぜながら1分くらいあたためる。
7　次に、ボウルの中身をなべにくわえる。
8　ひたすら、まぜる、まぜる。生地ができるまでまぜつづける。
9　大人に手伝ってもらい、なべを火から下ろし、火をけす。
10　そのまま生地をまぜつづける。
11　完全に冷めたら、平らな面に生地をおく。
12　1〜11の作業をもういちどくりかえす。いちご牛乳パウダーをブドウのドリンクミックスと活性炭の粉カプセルに変える。
13　2色のねんどができたらグリッターをふりかけ、よくまぜる。これで手のひらの中の銀河のできあがり！

ヒント

□ ビーズかビー玉をまぜて、ちがう手ざわりをくわえれば、いっそう銀河らしくなる。

□ いちご牛乳パウダーやブドウのドリンクミックスがなければ、ねんどが完成した後に、ジェルのような食用色素などで色をつけることもできる。

□ 密閉容器で保存すること。

□ 保存できる時間が短い。

62 ココナツねんど

このねんどはあつい夏の日にぴったりだ!　まるで南国の島でヤシの木の下で
遊んでいるようなにおいだ。落ちてくるヤシの実に気をつけろ!

大人といっしょに　　口に入れない

材料

- 小麦粉（中力粉）: 240グラム
- 食塩: 80グラム
- クリームターター
  （酒石酸水素カリウム）: 20グラム
- 食用色素（黄色）
- とてもあついココナツジュース:
  160ミリリットル
- ココナツまたはパイナップル
  エキス: 小さじ½（お好みで）

道具

- 大きいボウル
- 電子レンジ対応容器
- 耐熱のゴムベラまたは木ベラ

作り方

1　ボウルに小麦粉（240グラム）、食塩（80グラム）、クリームターター
　　（20グラム）、ココナツオイル（大さじ2）、食用色素を入れてまぜる。

2　大人に手伝ってもらい、ココナツジュース（160ミリリットル）を電
　　子レンジで90秒熱をくわえてからボウルに入れる。

3　耐熱ゴムベラを使って生地になるまでよくまぜる。

4　十分に冷めたら、生地を取り出して平らな面におく。

5　お好みでパイナップルエキスをくわえるときは、生地をボールのよ
　　うにして、げんこつを使って真ん中にへこみを作り、そこにエキス
　　を入れる。

6　生地をねじって、つぶして、たたいて完全にまぜる。さあ、おいし
　　いにおいのするこの熱帯ねんどを楽しもう!

ヒント

□ ココナツジュースがなければ水を使ってもよいが、熱帯のかおりはし
　なくなる。

□ 手ざわりが悪いとかんじたら、ココナッツジュースと小麦粉で調整する
　（ボロボロとしてまとまらないときは水を、ベチャベチャして水分が多
　いときは小麦粉をくわえる）。

□ 密閉容器で保存すること。

□ 保存できる時間が短い。

63 岩塩ねんど

岩塩を見たことがあるだろうか?
家庭でアイスクリームを作るのに使ったり、冬にこおった道路をとかすのに使うことがある。
ここでは岩塩を使って超面白いねんどを作る!

イヌといっしょに

口に入れない

材料

- 小麦粉 (中力粉):300グラム
- つぶ状の岩塩 (icecream salt):
  100グラムと70グラムに
  わけて使う
- 植物油:大さじ3
- 食用色素 (お好みで)
- 熱湯:180ミリリットル

道具

- 大きいボウル
- 耐熱のゴムベラまたは木ベラ

作り方

1 大きいボウルに小麦粉 (300グラム)、岩塩 (100グラム)、植物油 (大さじ3) を入れてまぜる。

2 大人に手伝ってもらい、ボウルに熱湯 (180 ミリリットル) をくわえる。色をつけたい場合、この時に食用色素を数滴入れ、色つきの熱湯にしておく。

3 耐熱のゴムベラで生地になるまでよくまぜる。

4 さわれるくらいまで冷めたら、生地を平らな面におく。

5 ぐにゃぐにゃなボールになるまでこねる。

6 かたすぎたら、水をくわえる。やわらかすぎたら、小麦粉をくわえる。

7 丸めた生地をのこりの岩塩 (70グラム) の上でころがす。

8 できあがったザラザラした手ざわりのかたまりを使って、想像力をはたらかせよう!

ヒント

☐ ピンクのヒマラヤ岩塩の結晶を使うと、ちょっとポップな色になる。
☐ 密閉容器で保存すること。
☐ 保存できる時間が短い。

64 クールエイドねんど

グレープ、チェリー、オレンジ、ライムも？ お気に入りはどの味かな？
さあ、今日はその大好きな味を楽しくてすごいねんどの中に入れよう。
ほっぺたが落ちるほど、おいしいにおいを楽しみながらたくさん遊ぼう！

大人といっしょに 口に入れない

材料

- 小麦粉（中力粉）：
  120グラムと少し
- 食塩：30グラム
- クリームターター
  （酒石酸水素カリウム）：
  小さじ1（3グラム）
- 植物油：大さじ1
- クールエイド（Kool-Aid®）：2ふくろ
- 水：180ミリリットル

道具

- 電子レンジ対応ボウル
- 耐熱のゴムベラまたは木ベラ

作り方

1 ボウルに小麦粉（120グラム）、食塩（30グラム）、クリームターター（小さじ1）、植物油（大さじ1）、クールエイド（Kool-Aid®、2ふくろ）、水（180ミリリットル）を入れる。

2 全体にむらがなくなるまでよくまぜる。

3 大人に手伝ってもらい、ボウルを電子レンジに入れて60秒間熱をくわえる。とてもあついので注意すること！

4 大人にまぜてもらう。ボウルの内側からかき取るのをわすれずに。

5 液体が多くのこっている場合は、追加で電子レンジで20秒熱をくわえる。液体が少なくなるまでくりかえす。熱をくわえるたびにボウルの内側からかき取るのをわすれずに。

6 液体が少なくなったら、1分間そのままでさます。

7 平らな面に小麦粉をひとつまみふりかける。

8 全体にむらがなくなるまでよくまぜる。

9 その上に生地をおき、よくのびるようになるまでこねる。おいしいフルーツ味を楽しもう！

ヒント

□ 最後に生地をこねるとき、手に小麦粉を少しつけると、手にくっつきにくくなる。

□ クールエイド（粉ジュース）がない場合、水をジュース（できれば果汁100％）に変えてもおいしいフルーツ味のねんどが楽しめる。でも食べてはいけない。

□ 密閉容器で保存すること。

□ 保存できる時間が短い。

65 びっくりカラーねんど

このねんどはパーティーのために作ると楽しい！
かわいた材料は、あらかじめビニールふくろに入れてまぜておく。
準備ができたらぬれた材料をくわえれば、びっくり！　マジカルカラーねんどで遊ぶ時間だ！

材料

ビニールふくろに入れる
- 乾燥水彩絵の具：4色
- 小麦粉（中力粉）：60グラムと
  60グラム×4個分（わけて使う）
- 食塩：30グラム
- クリームターター
  （酒石酸水素カリウム）：20グラム

あとからくわえる
- 植物油：大さじ1ずつ使う
- お湯：120ミリリットル
  （80ミリリットルずつ使う）

道具

- ボウル
- チャック付きビニールぶくろ：4つ
- コーヒーカップまたはマグ：4つ

作り方

1　乾燥絵の具を細かくくだき、色別にわけておく。
2　ボウルに小麦粉（60グラム）と食塩（30グラム）、クリームターター（20グラム）を入れてよくまぜる。
3　ビニールぶくろ4つの口をひらき、カップまたはマグに入れて口をひろげておく。
4　ボウルの中のかわいた材料を4つのビニールぶくろの中に注意して入れる。
5　それぞれのビニールぶくろに小麦粉を60グラムずつくわえて、よくまぜる。
6　くだいた乾燥水彩絵の具のどれか1つの色の約半分を、ふくろのまんなかにくわえ、まざらないように注意すること。
7　ビニールぶくろの空気をできるかぎりぬいて、チャックをとじる。

［準備ができたら］

1　大人に手伝いをお願いしておく。
2　それぞれのビニールぶくろに、植物油を大さじ1杯ずつ入れる。
3　ビニールぶくろを手でびしゃびしゃたたく。
4　大人にたのんでお湯をカップ⅓（80ミリリットル）ずつそれぞれのふくろに入れ、びしゃびしゃたたいたりもんだりする。
5　このあたりで、自分の生地の色がわかるはずだ。
6　気に入ったら、台にのせて、両手でこねてたたいてつぶす。
7　水っぽいときは小麦粉をくわえよう。
8　かわきすぎたら水をくわえる。さあ、楽しもう！

ヒント

□これを「ママ、つまんない」と言われる前につくっておくのもいい。
□「びっくりカラー」にはならないが、乾燥水彩絵の具がない場合は、食用色素（粉末）またはアクリル絵の具でも作ることができる。

66 洗えるせっけんねんど

身近にいる大人をにっこりさせたいって？　この、洗えるせっけんねんどを作ってみよう！
くねくねぐちゃぐちゃと楽しいのはもちろん、遊び終わって手を洗うのが超カンタンだ！

大人といっしょに　口に入れない

材料

- 小麦粉（中力粉）：400グラム
- 食塩：120グラム
- クリームターター
  （酒石酸水素カリウム）：20グラム
- オリーブ油：大さじ2
- 水：480ミリリットル
- 好きなにおいのハンドソープまたは
  ボディソープ：240ミリリットル
- 食用色素4〜5種類：5滴ずつ

道具

- ボウル
- 大きい片手なべ
- 耐熱のゴムベラまたは木ベラ

作り方

1　ボウルに小麦粉（400グラム）、食塩（120グラム）、クリームターター（20グラム）を入れてまぜる。
2　片手なべにオリーブ油（大さじ2）、水（480ミリリットル）、ハンドソープまたはシャワージェル（240ミリリットル）を入れる。
3　大人に手伝ってもらい、片手なべを弱火にかけて、よくかきまぜる。
4　湯気がでるけれども沸騰しないくらいまで熱をくわえる。
5　ボウルの中身をなべに入れる。
6　なべを火からおろして、火を止める。
7　べたべたしているが、まぜつづける（水分が多すぎる場合は、少しだけ熱をくわえる）。
8　完全にさめたら、生地をなべから平らな面にうつす。
9　両手で好みの手ざわりになるまでこねる。
10　つぶして、4つか5つのかたまりにわける。
11　丸めてボールを作り、それぞれにゲンコツでへこみを作る。
12　へこみごとに食用色素を5滴ほどたらす。
13　どのボールも色のむらがなくなるまでよくこねる。
14　それぞれの色のねんどで遊んでも、まぜてレインボーカラーにしてもよい！

ヒント

□ 生地がべたつきすぎるときは、小麦粉をくわえる。
□ かたくなりすぎたときはハンドソープかシャワージェルをくわえる。
□ 密閉容器で保存すること。

67 恐竜の化石ねんど

こんにちは、少年考古学者さん！「うもれた化石」探検の体験にようこそ。
このねんどは本当にかんたんに楽しく作ることができて、
ジュラ紀でいそがしい時間を過ごすことになる！（たぶんそんなに長くはない）

大人といっしょに

口に入れない

材料

- 水：480ミリリットル
- 小麦粉（中力粉）：200グラム
- ミルクココアの粉：
  1杯分の小さいふくろ、
  1ふくろ（12グラムぐらい）
- 食塩：80グラム
- 植物油：大さじ2
- 亜麻仁（亜麻のたね／フラックスシード）
  の粉末：40グラム
- コーヒーをひいた粉：30グラム

道具

- 片手なべ
- クッキングシート
- プラスチック製、
  恐竜のおもちゃまたは骨
- 耐熱のゴムベラまたは木ベラ

作り方

1 片手なべに、水（480ミリリットル）、小麦粉（200グラム）、ミルクココア（1ふくろ）、食塩（80グラム）、植物油（大さじ2）を入れる。

2 大人にたのんで弱火で熱をくわえながら、生地になるまでまぜつづける。

3 完全に冷めたら、生地をクッキングシートの上にうつす。

4 まんべんなくまざるまで生地をこねる。

5 次に、亜麻仁の粉（40グラム）とコーヒーの粉（30グラム）をくわえる。

6 これで「よごれた」見た目になる！

7 さらに、恐竜や骨のおもちゃを入れる。

8 ねんどの中に「うめて」、手またはクラフトスティックで「発掘」する。

9 本物の考古学者のように、恐竜の骨を何度でも埋めては発掘しよう！

ヒント

☐ ねんどが油っぽいときは、少し小麦粉をくわえる。
☐ 密閉容器で保存すること。

いろんな
ぐにょぐにょ
OTHER MOLDABLES

それはなめらかな生地ではないし、
キラキラのスライムともちょっとちがう。
サイエンスと遊びをまぜて、
ときどきラメをくわえれば、ものすごさで
いっぱいのクレイジーなまぜものになる。
あんなかんたんな材料が合わさって、
こんなにすごい遊び道具ができるなんて、
だれが想像しただろうか？　食器洗いせんざいを使って
シリーパテ（137ページ）を作ったり、月に行ったり（126ページ）、
指の間からキネティックサンド（122ページ）が
ゆっくりすりぬけたり、
自然乾燥ねんどでつぼを作ったり（162ページ）、
何をしたってもかまわない。
この章には、おもしろいことしかないのだから！

68 キネティックサンド

浜辺にすわって砂のお城を作っているところを想像してほしい。砂は本当に楽しい。
これで生地を作れば、あなたの砂がなみはずれたおどろきの物質へと変わる。
この砂は砂のお城をつくるのにぴったりだし、
そこにはどんなイマジネーションでもこね入れることができる。

口に入れない

材料

- プレイサンド（あそび砂）：
  730グラム（ホームセンターや
  インターネットで買える）
- コーンスターチ：10グラム
- 食器用洗剤：小さじ2
- ココナツオイル：小さじ½
- 好きな色の食用色素：数滴
- 水：30〜60ミリリットル

道具

- 大きいボウル

作り方

1　ボウルにあそび砂（730グラム）を入れる。

2　コーンスターチ（10グラム）、食器用洗剤（小さじ2）、ココナツオイル（小さじ½）、お好みで食用色素をくわえてまぜる。

3　水を少しずつくわえて両手でしっかりとこねる。

4　かたくなりすぎたら水をほんの少しくわえる。

5　かたくなくてはいけないが、型でぬけなくてはいけない。

6　おめでとう！　これであなただけのキネティックサンドのできあがりだ!

69 プチプチ雲ねんど

空の雲をじっとながめていろいろな形をさがしながら、
もし雲にふれたらいったいどんな感じだろうと思って、
ひまつぶししていた経験がだれにでもあるはずだ。実はそれができる!
だから白昼夢を見るのはやめて、超楽しくて型ぬきにぴったりのプチプチ雲ねんどを作ろう。

口に入れない

材料

- 小麦粉 (中力粉) : 500グラム
- 植物油 : 120ミリリットル
- 粉末食用色素
  (あるいは油性の食用色素) : 小さじ1
- 発泡スチロール球 (小さくて
  雪のようなもの) : 10〜100グラム

道具

- 大きいボウル
- プラスチックカップ
- スプーンまたはクラフトスティック
- 大きい容器
- おもちゃとクッキー型 (お好みで)

作り方

1　大きいボウルに小麦粉 (500グラム) を入れて、横においておく。
2　プラスチックカップの中に植物油 (120ミリリットル) と食用色素
　 (小さじ1) を入れ、粉が完全に油にとけるまでまぜる。
3　色のついた油をゆっくりと小麦粉にそそぎ、粉にまんべんなく色が
　 つくまでまぜる。
4　ボウルに発泡スチロール球をくわえ、両手ですべてまぜる。
5　生地を大きな容器にうつして、クッキー型やおもちゃを出してくれ
　 ば楽しみでいっぱいだ!

ヒント

□ プチプチ雲ねんどをもっとあざやかで刺激的にしたければ、食用色素
　 を2倍、いや3倍にするといい!
□ 密閉容器で保存すること。

70 月面ねんど

超ソフトでふわふわのかたまりを作ろう。このねんどはほかとはまったくちがう。
ただしおそろしく、ちらかるので注意！ でも、かたづけるのも超高速だ。

材料

- 小麦粉またはベビーパウダー：
  500グラム
- ベビーオイル：120ミリリットル
- ベビーローション：大さじ2

道具

- プラスチック製容器

作り方

1 プラスチック容器に小麦粉またはベビーパウダー（500グラム）を
   入れる。
2 粉の上にベビーオイル（120ミリリットル）をふりかける。
3 ベビーローション（大さじ2）をくわえる。
4 両手でグチャグチャとつぶしてまぜる。
5 やがてやわらかく、かたちをつくれるようになる。
6 これでできあがり！

ヒント

□ これはかなりちらかりやすい作業なので、家の外でやる方がいい。
□ そうじはかんたんだが、カーペットにはくっつきやすいので、家の中で
  やるならフローリングがおすすめだ。
□ 密閉容器で保存すること。

71 冷たい磁器ねんど

これは芸術家が彫像をつくるのに使われていたねんど。きみも同じことができる！
このねんどのかたまりをいじり回してきみだけの最高傑作を作ろう。

材料

- コーンスターチ：160グラム
- せんたくのり：100ミリリットル
  （成分にPVAと表示されているもの）
- 木工ボンド：小さじ1
  （コニシ ボンド木工用）
- レモン果汁：大さじ2
- ベビーオイル：大さじ2
- 小麦粉：ひとつかみ
- ハンドローション：
  両手をおおうくらい
- アクリル絵の具

道具

- 電子レンジ対応ボウル
- 食品用ラップフィルム
- 密閉容器
- 耐熱のゴムベラまたは木ベラ

作り方

1 ボウルにコーンスターチ（160グラム）、せんたくのり（100ミリリットル）、木工ボンド（小さじ1）、レモン果汁（大さじ2）、ベビーオイル（大さじ2）を入れ、ゆっくりとまぜてペースト状にする。

2 さらに4〜5分まぜる。

3 かたまりがなくなって、なめらかな液状になるまでつづける。

4 大人に手伝ってもらい、ボウルを電子レンジに入れる。ここからが大切。

5 電子レンジで15秒ずつあたため、そのたびに1分間はげしくまぜる。どんどんねばりけがでてくる。

6 スプーンでボールが作れるくらいになるまで、熱をくわえてまぜることをくりかえす。

7 ボールを作っても、ボウルの内側にはまだ生地がかなりのこっているだろう。

8 だいたい6回から9回、電子レンジを使うことになる。

9 小麦粉ひとつかみを平らできれいな作業台にふりかける。

10 両手にローションをぬって手をおおう。

11 べたべたの生地がさめたらボウルからとりだして作業台におく。ボウルの内側にのこった生地もわすれずに。

12 このぐちゃぐちゃの生地をべたべたがなくなるまでよくこねる（10分くらい）。

13 生地をラップできつくつつんだら、密閉容器に入れて、まるまる24時間ねかせる。ここは待つとき。

14 時間がきたら、このねんどで彫刻が作れる。

15 作品ができたら、完全にかたまるまでかわかす。

16 かわいたら、アクリル絵の具で色をつけよう。

72 こおったツンドラ

一年中溶けない雪だって？　夏のあつい日や雪の日のおいわいにはそれが必要だ。
こおったツンドラはひんやりと冷たいねんど生地。
雪の玉や雪だるまを作るのは最高だ。もちろん冷たさを感じるだけでも。

大人といっしょに

口に入れない

材料

- 乳液（無香料）：120ミリリットル
- コーンミール（マサ・とうもろこし粉）：
  50〜100グラム
- 白いミント味の歯みがき：
  小さじ1
- 白いサイドウォークチョークを
  くだいたもの：25グラム（お好みで）

道具

- ボウル
- ゴムベラ
- おろしがね（お好みで）
- 食品用ラップ

作り方

1 ボウルに乳液（120ミリリットル）とコーンミール（50〜100グラム）を入れ、ゴムベラでまぜる。

2 歯みがき（小さじ1）をくわえて、ミントの香りをつける。

3 お好みで、大人に手伝ってもらいサイドウォークチョークをおろしがねで細かくして、雪のような色をつける。

4 全体をよくまぜる。

5 まぜものは生地のようになって球形にすることができるはずだ。

6 ボール状の生地を食品用ラップでぴったりとつつみ、冷凍庫に入れる。

7 45分たってからボールを冷凍庫から取り出す。

8 ラップをはがしてすてる。さあこれで、冷たい雪のできあがりだ！

ヒント

□「雪」が冷たく感じなくなるまで遊べる。
□いつでも冷凍庫にもどせば冷たさを再現できる。
□チョークの色を変えてツンドラをもっと派手にすることもできる。

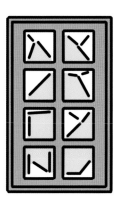

73 人工雪

雪は冷たい、とける、そして一年のうち決まった季節にしかあらわれない。
この人工雪はちがう！　これは超楽しくて、どんなときにでも作ることができる。
少しくらいちらかっても心配無用。
この雪は、ほうきや電気そうじ機でかんたんにそうじできる。

口に入れない

材料

- 重曹：230グラム
- シェービングクリーム：
  30〜60グラム
- 好きな香りのエッセンシャル
  オイル：2滴

道具

- ビニール製テーブルクロス
- 大きいプラスチック容器

作り方

1　テーブルにテーブルクロスをしく。
2　プラスチック容器に重曹（230グラム）をあける。
3　シェービングクリームをくわえる。
4　両手で30秒ほどかきまぜる。
5　お好みでエッセンシャルオイルをくわえる。
6　両手でまぜつづける。
7　わりとすぐに「雪」ができる！
8　好きな形を作ったり、型ぬきしてみよう。

ヒント

☐雪だるまのミニチュアを作るのにぴったりだ。
☐シェービングクリームを使うので、風とおしの良い場所で作る。

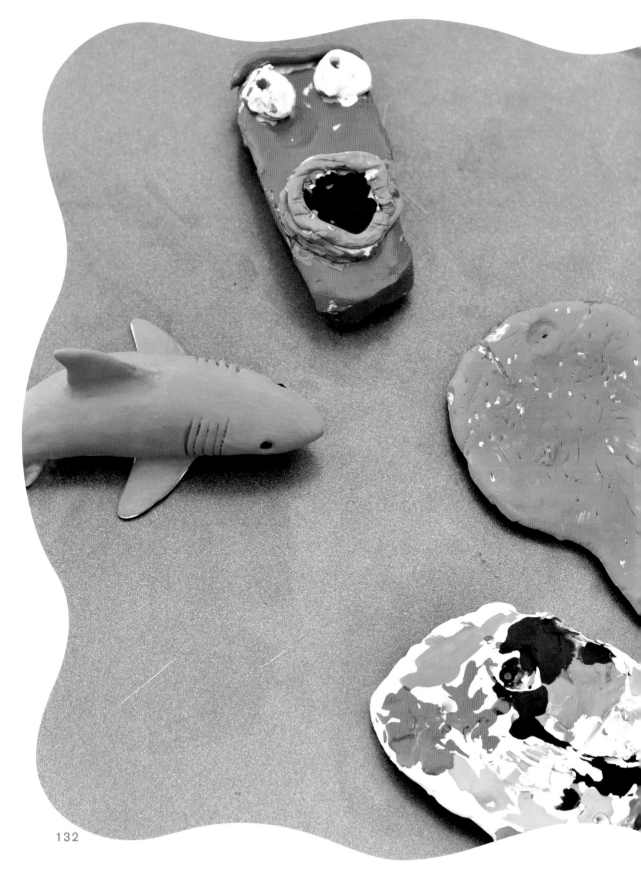

74 オーブンねんど

芸術家になってみたいと思ったことはないだろうか？
この昔からのねんどレシピは多くの芸術家が実際に使っていた。
かんたんに作れて、オーブンでかなり早く乾燥させることができる。

大人といっしょに　　口に入れない

材料

- 小麦粉（中力粉）：250グラム
- 食塩：80グラム
- ココナツオイル：大さじ2
- 水：120〜240ミリリットル

道具

- ボウル
- ゴムベラ
- クッキングシート
- 絵筆

作り方

1　ボウルに小麦粉（250グラム）、食塩（80グラム）、ココナツオイル（大さじ2）を入れてよくまぜる。

2　まぜながら水を少しずつくわえて、ねんどのかたさになるまでつづける（水は全部使わないかもしれない）。

3　ねんどを取り出して好きな形にする。

4　オーブンを120℃に予熱する。

5　クッキングシートの上にねんどでつくった形をおく。

6　大人にたのんで、予熱したオーブンの中にシートごと作品を入れる。

7　30分〜1時間、熱をくわえる。

8　作品から目をはなさないこと。かたくなってほしいけれどもこげないように気をつける（ふちがやや茶色くなるぐらいまで）。

9　作品の厚さと多さによって熱をくわえる時間は変わる。

10　厚く作りすぎるとわれることがある。

11　かたくなったら、大人にたのんでオーブンから出してもらい、完全に冷ます。

12　アクリル絵の具で色をつければできあがりだ！

75 ストレス解消ボール

ストレスボール（136ページ）と同じく、これも2人で作るとかんたんだ。
これの何がすごくクールなのかって、つぶしてもそのままの形をたもっていることだ。
今すぐやってみるべきだ！

材料

- ゴムふうせん：直径30センチ×2
- 世界一の手作りねんど
  （076ページ）：50〜100グラム

道具

- 油性マーカー（お好みで）
- はさみ

作り方

1　ふうせん1つの口を、ハサミで切りおとす。

2　友だちにこのふうせんの口をできるだけ大きくひらいてもらう。

3　ふうせんの中に「世界一の手作りねんど」をつめる。

4　友だちに、もう1つのふうせんの口をできるだけ大きくひらいてもらう。

5　この2つめのふうせんの中に、1つめのふうせんの口を下にしてつめこむ（とてもむずかしいけれど、がんばってほしい）。

6　2つめのふうせんの口をしっかりむすぶ。

7　お好みで、自分の今の気持ち（うれしい、かなしい、いかり、興奮）を油性マーカーでふうせんにかく。

8　ぐにゃっとつぶして、ストレスが消えるところを見てみよう！

ヒント

□かみの毛のかわりに羽根をのりづけしたり、動く目玉やボタンをつけて超特別なストレス解消ボールを作ろう。

76 ストレスボール

まず、これは2人がかりの仕事なので、友だちをつかまえておくこと。
レシピを2倍にすれば2人分作れる！
ほんの数分のうちに、2人でものすごいものをひねり出せるはずだ。

口に入れない

材料

- カラフルなふうせん：3
- 小麦粉：125グラム、
  またはプレイサンド（あそび砂）：
  140グラム（ホームセンターや
  インターネットで買える）
- ボンド：少し

道具

- 空のペットボトル
- わりばし
- ハサミ

作り方

1　ふうせんを自分の前にならべておく。

2　ふうせんの1つを2〜3回ふくらましては空気をぬく。こうすることで、ゴムがのびて材料が入れやすくなる。

3　大人に手伝ってもらい、ペットボトルをハサミで半分に切る。切り口がするどいので手を切らないように注意すること。

4　ふうせんの口をボトルの口にはめて、じょうごのようにする。

5　小麦粉またはあそび砂をペットボトルじょうごからふうせんに入れる。

6　全部入らなくてもよい。ふうせんのくびのところまで粉を入れる。

7　ふうせんをペットボトルから気をつけてはずす。

8　わりばしなどを使って、粉がふうせんいっぱいにつまっているかどうか確認する。しっかりつまっているほど、しっかりしたストレスボールになる。

9　ふうせんの口を切り取る。

10　次に2つめのふうせんの口を切り取り、友だちにこのふうせんの口をできるだけ広くあけておいてもらう。

11　2つめのふうせんを、（粉のつまった）1つめのふうせんの口の上からかぶせる。

12　3つめのふうせんの口を切り取り、友だちにこのふうせんの口をできるだけ広くあけておいてもらう。

13　3つめのふうせんを、粉の入ったふうせんボールのあいた口の上からかぶせる。

14　ボンドをほんの少しだけ3つめのふうせんの口の内側にぬる。こうすることで、ふうせんがすべらなくなる。

15　これでストレスボールのできあがり！　手の中でつぶしてみよう！

77 食器用洗剤シリーパティ

スライムっぽくてぐにゃぐにゃした楽しいものが必要になったとき、
こんなかんたんに作る方法があったとは!
この2種類の材料さえあれば、たちまちにして楽しいぐちゃぐちゃのできあがりだ。

犬といっしょに 口に入れない

材料

- 食器用洗剤：60ミリリットル
- コーンスターチ：80グラム

道具

- ボウル
- ゴムベラ

作り方

1　ボウルに食器用洗剤（60ミリリットル）とコーンスターチ（80グラム）を入れ、ゴムベラでまぜる。
2　まぜものがボウルの内側からはなれはじめたら、手でこねたりつぶしたりするときだ。
3　かたすぎたら、食器用洗剤をくわえる。やわらかすぎたら、コーンスターチをくわえる。
4　これだけ!!　これで食器用洗剤シリーパティのできあがり。
5　お好みで、食用色素を数滴くわえれば、カラフルなパティになる。

ヒント

□ エッセンシャルオイルを数滴くわえると、パティがおいしそうなにおいになる。
□ 密閉容器で保存すること。

78 ゼリーパティ

たった3種類の材料で、こんな楽しいものができるなんて信じられないかもしれないが、
とにかくチェック！　このパティはねじってもつぶしてもこねても大丈夫。

口に入れない

材料

- 好きな味のゼリーの素：
  95グラム（ハウス食品 ゼリーエース）
- ・コーンスターチ：120グラム
- ・水：60ミリリットル

道具

- ボウル
- ゴムベラ

作り方

1 ボウルにゼリーの素（95グラム）とコーンスターチ（120グラム）を
  入れ、ゴムベラでまぜる。
2 まぜつづけながら、水を小さじ1ずつくわえていく。
3 生地がボウルの内側からちょうどはずれるようになるところまで水
  をくわえる。
4 これで、手を使って遊べるようになった。なんてかんたん!!

ヒント

□密閉容器で保存すること。
□保存できる時間が短い。

138

79 あみタイツスライムボール

これはまさにおどろきのびっくりボールだ。ギュッとにぎればあわだらけの形を変える。
そして、ゴムのようなスライムのようなにゅるにゅるが、
あみの目からバブルになって飛び出してくる。

口に入れない

材料

- せんたく洗剤スライム
  （048ページ）：1かたまり
- ふうせん：1
- あみタイツ：1足

道具

- ハサミ
- わりばし
- ペットボトル：1本

作り方

1 せんたく洗剤スライムを作る。

2 大人に手伝ってもらい、ペットボトルをハサミで半分に切る。切り口がするどいので、手を切らないように注意すること。

3 ふうせんの口をボトルの口にはめて、じょうごのようにする。

4 スライム約カップ½（80ミリリットル）を切ったペットボトルに入れる。

5 スライムがふうせんに入っていくように、わりばしでおしこむ。

6 ふうせんのくびあたりまでスライムをつめられるはずだ。

7 ふうせんをペットボトルからはずし、口をむすぶ。

8 そのふうせんをあみタイツの足先までおしこむ。かなり苦労するはず。

9 あみタイツをむすぶ余裕をのこして切り取る。

10 タイツをむすんでとじる。さあ、あみボールで遊ぶときがきた！

11 タイツのあみの目からスライムふうせんがバブルになって出てくるところを見よう。かなりクールなはずだ！

80 ヨーグルトパティ

ヨーグルトとパティ。ふだん、あまりいっしょに見ることのないことばだ。
好きな味のヨーグルトをえらんだら、ちょっと質の高い遊び時間をすごせるはず！

材料

- ヨーグルト（具の入っていないもの）：
  200グラム
- 食用色素（お好みで）
- コーンスターチ：280グラム

道具

- ボウル
- ゴムベラ

作り方

1 ボウルにヨーグルト（200グラム）を入れる。

2 色をつけたいときは、ここでヨーグルトに食用色素を数滴くわえて
  よくまぜる。

3 コーンスターチを大さじ1ずつ、ヨーグルトにまぜながらくわえてい
  く。くわえるたびにかきまぜる。

4 まぜたときにまぜものがボウルの内側からはなれるようになるま
  でまぜつづける。

5 こんどは両手の出番だ！　このなぞのまぜものを、こねて、のばし
  て、べとべとしなくなるまでたたいたりつぶしたりする。

ヒント

□ このパティは保存できない。使い終わったらすてて、次に遊びたい時
  は新しいかたまりを作る。

81 われないシャボン玉

みんなシャボン玉が大好きだ。
宙にうかんでおどる、その姿はみんなによろこびをあたえ、歓声をあげさせる。
かんたんにわれなければもっといい！ シャボン玉液に2種類の材料をくわえると、
ずっとわれないシャボン玉に変わるかもしれない。

口に入れない

材料

- 食器用洗剤：50ミリリットル
- ライトコーンシロップ：
  250ミリリットル
- 水：500ミリリットル

道具

- ボウル
- スプーン
- シャボン玉スティック

作り方

1 ボウルに、食器用洗剤（50ミリリットル）、コーンシロップ（250ミリリットル）、水（500ミリリットル）を入れてスプーンでまぜる。

2 シャボン玉スティックにつけてシャボン玉を作る。

3 それだけ！

ヒント

□ 水にぬらしてもよいおもちゃをいろいろ使って、いろいろなシャボン玉を作ろう。

□ コーンシロップが手に入りにくい時は、せんたくのり（成分にPVAと表示されているもの）にしてもよい。

82 あわあわクールエイド

この超クールなあわが、作るそばから成長してそのフワフワの形を変えていくところを見よう！
次に両手をつっこむ。つぶしてみる。トンネルを作る。
あわがなくなるまでずっと遊んでいられる。

大人といっしょに 口に入れない

材料

- 水：120ミリリットル
- 食器用洗剤：大さじ2
  しょっきようせんざい
- クールエイド（Kool-Aid®）：
  2ふくろ、または食用色素
        しょくようしきそ

道具

- 大きいボウル
- スプーン
- 電動ミキサー（ハンドミキサーでよい）
  でんどう
- プラスチック製容器

作り方

1 大きいボウルに水（120ミリリットル）、食器用洗剤（大さじ2）、
   クールエイドを入れる。
2 スプーンでまんべんなくまぜる。
3 大人に手伝ってもらい、ミキサーを使って「中速」であわだてる。
                                        ちゅうそく
4 あわだてればあわだてるほど、あわの量がふえる。
                        りょう
5 できあがったらプラスチック容器にあわを入れる。

ヒント

□ あわの中では、プラスチックの水にぬらしてもよいおもちゃで遊ぶこ
  と。
□ あわが少なくなってきたら、大人にたのんで、もう一度電動ミキサー
  を使って、あわを大きくする。

83 ぐにゃぐにゃファズボール

ふわふわしたファズボールが、ゼリーのようなスライムの中にうかんでいる。
これは、超おどろきとしか言いようがない。このぐにゃぐやを手でつかめると知ったら、
もっとびっくりだ。友だちが欲しがることまちがいなし。

口に入れない

材料

- 水：約120ミリリットル
  （ボトルの大きさによる）
- せんたくのり：約120ミリリットル
  （成分にPVAと表示されているもの）
- デコレーションボール（ボンテン）：
  12グラム
- とうめいなゴムふうせん

道具

- 空のペットボトル

作り方

1　空のペットボトルに、半分くらい水を、半分ぐらいせんたくのりを
　　入れ、上にすきまを少しのこしておく。

2　せんたくのりがおちついたら、ファズボールを入れる。

3　とうめいなふうせんを、はんぶんぐらいまでふくらませる。

4　ふうせんの口を2〜3回ねじって、空気がぬけないようにする。た
　　だしむすばないこと。

5　ふうせんの口をペットボトルの口にはめる。

6　ボトルを上下さかさまにして、中身をふうせんの中におとす。

7　注意して、ふうせんとボトルをはなす。ふうせんから液体があふれ
　　ないように！

8　ふうせんの口をむすぶ。

9　これでくにゃくにゃもがもがの、カラフルとうめいふうせんのできあ
　　がり。あとは遊ぶだけだ。

10　このボールをはずませてはいけない！　われてしまうから。

ヒント

□きらきらをふやしたいときは、ペットボトルの中身をふうせんにうつす
　前に、好きな色のグリッターをテーブルスプーンで2杯（48グラム）く
　わえる。

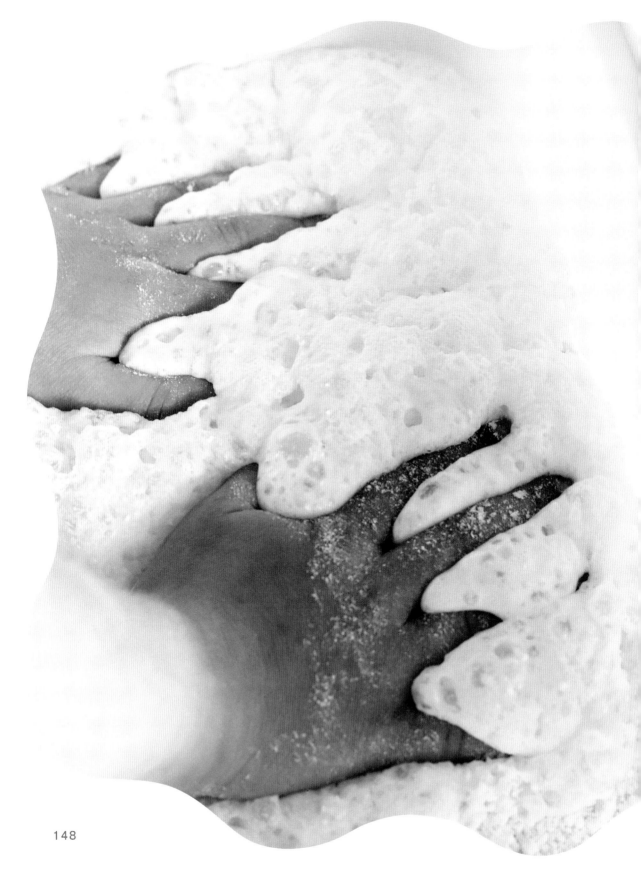

84 しゅわしゅわねんど

これは生地(きじ)である。そして破裂(はれつ)する！　読みまちがいではない！
まず、クールな手作りねんどで遊んだら、次は破裂するしゅわしゅわねんどにするときだ！

大人といっしょに

口に入れない

材料

- 小麦粉(中力粉)：120グラム
- 重曹(じゅうそう)：220グラム
- ココナツオイル(液体)：大さじ4
- お酢(ホワイトビネガー)：大さじ4

道具

- 大きいプラスチック製容器
- ゴムベラ

作り方

1 大きめのプラスチック製容器に、小麦粉(120グラム)、重曹(220グラム)、ココナツオイル(大さじ4)を入れて、ゴムベラでかきまぜる。

2 月面ねんど(126ページ)と同じように、これで遊んでから次のステップにすすんでもよい。

3 準備(じゅんび)ができたら、お酢をゆっくりとまぜものにかけていく。

4 しゅわ、しゅわ、しゅわっとなるところが見えるはずだ。

5 お酢が重曹と反応(はんのう)したあとに、手ざわりのちがいをかんじてみよう。

ヒント

□ お酢をくわえるのに使う器具をいくつか試してみよう。スポイト、スプーン、赤ちゃん用薬のみシリンジなどなど何でもいい。

□ 1回に落とすお酢の量が多いほど、あわがたくさんできる。

85 ウーブレック

これは液体？　イエス、その通り。
これは世界で一番クールな科学実験工作だ！
動かしてみれば、それは固体。動くのをやめれば、それは液体だ！

大人といっしょに　口に入れない

材料

- コーンスターチ：160グラム
- 水：80ミリリットル
- 濃縮液体せんたく洗剤
  （Tide® がいちばんうまくいく）：
  大さじ2½
- 食用色素：3滴

道具

- ボウル
- スプーン

作り方

1　ボウルにコーンスターチ（160グラム）、水（80ミリリットル）、洗剤（大さじ2½）、食用色素を入れ、スプーンでまぜる。

2　まぜものをまぜるのが、とても大変になってくる。そこから両手を使う。

3　こねてまぜて、指の間からまぜものが出てくるようにする。

4　手の中でからまったボールが作れるのに、力をぬくとボールが液体にもどってしまうなら、ウーブリックになった証拠だ。これが作れるなんて、とてもクールだ！

ヒント

□濃縮液体せんたく洗剤は「アリエール イオンパワージェル サイエンス プラス」でもうまくいく。

86 レモンウーブレック

どうしてこの材料をまぜると、ウーブレックができるのだろう？
レモンに入っている酸が、この液体……でもない固体……、でもないべとべとなものに
力をあたえる秘密だ。あなたはレモンのかおる実験室の科学者だ。

口に入れない

材料

- コーンスターチ：160グラム
- 大きめのレモン：2つ
- 水：50ミリリットル

道具

- ボウル
- スプーン
- レモンしぼりき

作り方

1 ボウルにコーンスターチ（160グラム）を入れる。
2 しぼったレモンの汁をボウルにくわえる。
3 まぜる、まぜる、まぜる。
4 水を少しずつくわえていく。くわえるたびにスプーンでよくまぜる。
5 まぜようとすると固体だが、そのままにしておくと濃い液体になればできあがりだ。
6 これで、キッチンにある材料を使ってレモンウーブリックを作ることができた！　なんてクールなんだ。

ヒント

☐ウーブレックの色をレモンらしくしたければ、
　　黄色の食用色素を4滴くわえる。
☐水の量はレモンの汁の量にもよるので、
　　好みのかたさに合わせてかえてもよい。

152

87 まほうのどろ

ジャガイモでまほうのどろを作ろう！　ちょっと待った。ジャガイモだって？
そう、ジャガイモにはまほうのどろになるすごい性質があるのだ！
ウーブレック（150ページ）とよく似ているが、これは純粋にジャガイモと水だけでできている。

材料

- ジャガイモ：2.3キログラム
- お湯：2リットル
  （またはジャガイモがひたるくらい）
- 室温の水：（480ミリリットル）

道具

- フードプロセッサーまたは
  フードチョッパー（お好みで）
- 特大のボウル：2
- こし器
- スプーン
- 密閉できる大型容器
  （大きいメイソンジャーなど）

作り方

1　ジャガイモを冷たい水できれいにあらう。

2　あらったジャガイモをみじん切り（できるだけ小さく）にする。

3　大人といっしょにフードプロセッサーを使うと作業が楽になる。

4　きざんだジャガイモをボウルの1つに入れ、ジャガイモがかくれるくらいまでお湯をくわえる。

5　5分間まぜつづける。

6　液体の色が赤紫になることに気づくだろう。これは正常だ。

7　ジャガイモ液をこして、2つ目のボウルに入れ、15分ほどそのままにしておく。

8　しばらくするとボウルの底にクリーム色のまぜものが見えてくる。15分のあいだにこれが成長する。

9　水をすてる。白いまぜものはボウルの底にのこるので心配はいらない。

10　このまぜものを洗わなくてはならない。まぜものがのこったボウルに室温の水をくわえ、まんべんなくまざるまで、スプーンでまぜる。

11　まぜものを保存容器にそそぎ、15分間、そのままにしておく。

12　水をさっとながせば、きれいな白い物質がのこっているはずだ。その物質をボウルに入れる。さあ、これでまほうのどろが手に入った！　こねたり、つぶしたりしてみよう。ウーブレックとよくにた動きをするだろう。

13　ジャガイモにはコーンスターチとにた成分が入っていて、ウーブレックと同じように液体であると同時に固体でもあるからだ。

ヒント

□ のこったジャガイモは、スープかハッシュブラウンかラートカ（パンケーキのようなおかし）などにして、おいしくいただこう。

□ 食用色素を数滴くわえて、あざやかな色にしてもよい。

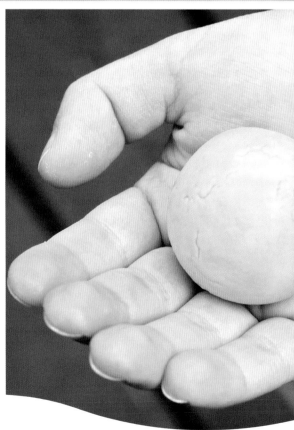

88 スーパーボール

みんなスーパーボールが大好きだ。でも、自分で作れるなんて考えたことはあるだろうか？
自作のスーパーボールはどのくらい高くはねあがるだろうか？

材料

- せんたくのり：小さじ2
  （成分にPVAと表示されているもの）
- 木工ボンド：小さじ1
  （コニシ ボンド木工用）
- 食用色素：3滴
  しょくようしきそ   てき
- ぬるま湯：大さじ2
- ホウ砂：小さじ½
  しゃ
- コーンスターチ：10グラム

道具

- 使いすてプラスチック製ボウル：2
- アイスクリームのぼう：2

作り方

1 使いすてのボウルにせんたくのり（小さじ2）と木工ボンド（小さじ1）を入れる。

2 食用色素をくわえ、アイスクリームのぼうでまんべんなくなるまでかきまぜる。

3 2つ目のボウルに、ホウ砂（小さじ½）とぬるま湯（大さじ2）を入れる。

4 2つ目のアイスクリームのぼうを使って、ホウ砂が完全にとけるまでかきまぜる。

5 最初のボウル（色のついたせんたくのりが入っている）にコーンスターチ（10グラム）と、ホウ砂溶液（小さじ½）をくわえる。
  ようえき

6 20秒間、そのままにしておく。

7 このまぜものをアイスクリームのぼうを使ってかきまぜる。まぜるのがむずかしくなるほどかたくなるまでつづける。

8 まぜものの半分を取り出し、手の中で丸めてボールの形にする。手の中で転がす時間が長いほどボールはかたくなる。

9 できあがったら、はずませてみよう！ やった！ スーパーボールのできあがりだ！

ヒント

□ あまったまぜものの半分は、あみタイツスライムボール（139ページ）か、ぐにゃぐにゃファズボール（146ページ）を作るのに使える。

89 光るまほうのどろ

まほうのどろ（153ページ）ではまだクールじゃないという人のために、
このまほうのどろは光りかがやく！
光るべとべとを見たり、これで遊んだりするほど楽しいことはそうそうない。
これは、超クールだ。

口に入れない

材料

- まほうのどろ（153ページ）：
  1かたまり
- トニックウォーター：小さじ2

道具

- ボウル
- スプーン
- ブラックライト

作り方

1 まほうのどろを用意して、安全なところに保管しておく。密封しないこと。

2 2日間そのままにしておく。乾燥して、ボロボロの白い粉のようになる。

3 このかわいた粉をボウルに入れ、トニックウォーターを少しずつくわえる。

4 くわえるたびにスプーンでよくまぜる。

5 そのうちとてもかたくなり、まぜるのがむずかしくなる。ここは、がまんづよさの訓練になるところだ。

6 しばらくの時間とたくさんのかきまぜが必要になる。

7 はじめに作ったまほうのどろと同じようになってきたら準備完了。

8 ブラックライトをあてて、ねんどが光るところを見よう。

9 自分の手を見てみよう！　そこも光っている！

ヒント

☐「トニックウォーター」を使うこと。ほかの水ではいけない。

☐ なぜこのぐにゃぐにゃは光るのか？　トニックウォーターには「キニーネ」が入っているから。キニーネはブラックライトを当てると光る。

☐ のこったトニックウォーターのボトルを見てほしい。ボトルの中で水が光っているのがわかる。超クールだ！

90 妖精ねんど

このねんどでミツバチのパワーを呼び出そう。
みつを取ってきてこの食用キラキラ生地を作るのだ。
ラメがなければ妖精ねんどとは言えない！
だから最後に特別なキラキラをふりかけるのを忘れずに。

口に入れない

材料

- はちみつ：60ミリリットル
- コーンスターチ：120グラム
- ココナツオイル：大さじ1
- 食用色素：4滴
- 食用ラメ：大さじ2
- クッキングスプレー
  （なければココナッツオイルでもよい）

道具

- 計量カップ（60ミリリットル以上）
- ボウル
- ゴムベラ

作り方

1 計量カップの内側に、クッキングスプレーをたっぷりふきつける（スプレーがなければココナッツオイルをぬる）。

2 計量カップで、はちみつ（60ミリリットル）をボウルに入れる。

3 1回に大さじ1ずつコーンスターチをはちみつにくわえ、ゴムベラでよくまぜる。まんべんなくまざってから次のコーンスターチをくわえて、またまぜる（これをくりかえす）。

4 生地がべとつきすぎるときは、ココナツオイルを少しずつくわえる。

5 スプーンでコーンスターチをまぜるにはかたくなりすぎたときは、両手にクッキングスプレーをふきつけてから、手でこねてつぶす（スプレーがなければココナッツオイルを手にぬる）。

6 食用色素をくわえて、よくまぜる。

7 食用ラメをくわえ、完全にまざるまで生地をこねてつぶす。

8 あとはこの妖精ねんどで遊ぶだけ。こねて、のばして、丸めてボールにしてもよい。

91 フローム

きみは、この物質を手にとったことが必ずあるはずだ。
今まで見たいちばん非現実的な夢の中でも、家でこれを作ることが想像できただろうか?
そう、作れるのだ!

大人といっしょに　口に入れない

材料

- ホウ砂:大さじ1
- お湯(沸騰はしていない):
  80ミリリットルと100ミリリットル
  に分けて使う
- せんたくのり:150ミリリットル
  (成分にPVAと表示されているもの)
- 発泡スチロール球(2~3ミリ):
  6~20グラム

道具

- ボウル:2
- ゴムベラ

作り方

1 大人に手伝ってもらい、ボウルにホウ砂(大さじ1)とお湯(80ミリ
　リットル)を入れて完全にとけるまでかきまぜる。
2 2つ目のボウルに、お湯(100ミリリットル)とせんたくのり(150ミ
　リリットル)を入れてまぜる。
3 そこにホウ砂溶液(1つ目のボウル)をゆっくりとそそぎ入れる。
4 まぜものが水っぽいときは、ホウ砂を少しくわえる。かわきすぎた
　ときは、水を少しくわえる。
5 まぜつづけながら、発泡スチロール球をくわえる。
6 スプーンでまぜるには固くなりすぎたときは、両手でこねてまぜる。
7 これでフロームのできあがり。さあどんな形を作れるだろうか?

ヒント

□ 発泡スチロール球を入れる前に、食用色素(3滴)をくわえれば、
　生地にほんのりと色づけすることができる。
□ 密閉容器で保存すること。

92 ココナツオイルふわふわねんど

なんて超カンタンに作れるねんどだろう!
かたづけるのも一瞬。ふくろの中でふってまるめるだけで、まほうのようにできあがる!

大人といっしょに

口に入れない

材料

- ココナツオイル:60ミリリットル
- 小麦粉(中力粉):180グラム
- 食用色素(お好みで)

道具

- 電子レンジ対応容器
- シール付きビニールぶくろ
  (3.75リットル)

作り方

1　大人に手伝ってもらい、ココナツオイル(60ミリリットル)を電子レンジで約30秒熱をくわえてとかす。

2　お好みで、食用色素をくわえる。

3　シール付きビニールぶくろに小麦粉(180グラム)を入れる。

4　ココナツオイルをビニールぶくろに入れ、まざるまでよくふってこねる。

5　これでかるくて、ふわふわでめちゃめちゃかんたんな生地ねんどのできあがり!

93 自然乾燥ねんど

これもかたい彫刻作品を作る楽しい方法だ!
自分の中にかくれている芸術家をひっぱりだそう!
このねんどをこねたりつぶしたり、形作ったりしながらイマジネーションを爆発させる。
最高傑作は色づけをして、しあげよう。

口に入れない

材料

- コーンスターチ:
  80グラムとひとつかみ
- せんたくのり:100ミリリットル
  (成分にPVAと表示されているもの)
- 木工ボンド:小さじ1
  (コニシ ボンド木工用)
- ベビーオイル:大さじ1
- お酢(ホワイトビネガー):大さじ1
- アクリル絵の具

道具

- ボウル
- ゴムベラ
- 絵筆

作り方

1 ボウルにコーンスターチ(80グラム)、せんたくのり(100ミリリットル)、ボンド(小さじ1)、ベビーオイル(大さじ1)、ビネガー(大さじ1)を入れてゴムベラでまぜる。

2 すごくベトベトした生地ができる。

3 きれいで平らな作業台に、テーブルクロスをしいてからコーンスターチをひとつまみばらまく。

4 まぜものをボウルからとりだし、ばらまいたコーンスターチの上におく。

5 手をコーンスターチでおおって、くっつきにくくしておく。

6 生地を作業台のコーンスターチの上で丸めたりこねたりする。なめらかな生地になったらできあがり。好きな形を作る。

7 48時間ほど乾燥させる。

8 そのあとアクリル絵の具で色をぬって、じまんの作品を完成させる。

ヒント

□のこった生地はベビーオイル(小さじ1杯)をくわえて、シール付きビニールぶくろにいれて保存できる。

94 砂のねんど

このねんどは、記念にのこすものを作るのにぴったりだ。
生地に足あとをつければ、海岸の砂浜を歩いたように見える。
ちょっとしたデコレーションと色をつければ完成だ。

口に入れない

材料

- プレイサンド（あそび砂）：
  900グラム（ホームセンターや
  インターネットで買える）
- 小麦粉（中力粉）：250グラム
- 食塩：90グラム
- ぬるま湯：180ミリリットル

道具

- 大きめのプラスチック容器
- ゴムベラまたは木ベラ

作り方

1 大きめの容器にプレイサンド、小麦粉、塩を入れる。

2 そこにぬるま湯を入れ、まんべんなくスプーンでかきまぜる。

3 ここからお楽しみの時間。ボウルに両手を入れて、生地ができるまでこねたりたたいたりつぶしたりする。

4 やわらかすぎたら、プレイサンドをくわえる。かわきすぎたら、水をくわえる。

5 生地はボール5つに分けてもよい。ボールひとつひとつを好みの作品にすることができる。

6 作り終わったら、空気中でそのまま乾燥させるか、クッキーシートにのせ、120℃のオーブンで3〜5時間やく（作品の厚さによって時間は変わる）。

ヒント

□これは子どもの手がたや足がたをとるのにぴったりだ。
□ボール1つを1.5センチくらいの厚さにのばして、子どもに手や足をおかせればよい。
□乾燥のやりかたは上のとおり。

95 プレイパティ

かんたんにすぐ作れるパティをさがしている人はいるかな？ ほら見つかった！
3種類の材料を、ビニールぶくろの中でまぜてこねてまるめるだけ。
これ以上かんたんなものはない。

大人といっしょに 口に入れない

材料

- せんたくのり：100ミリリットル
 （成分にPVAと表示されているもの）
- 木工ボンド：小さじ1
 （コニシ ボンド木工用）
- テンペラ絵の具：
 カップ¼（60ミリリットル）
- ホウ砂溶液：小さじ3

ホウ砂溶液の材料

- ホウ砂：小さじ1
 （約4.5グラム、薬局で買える）
- 60℃のお湯：100ミリリットル

道具

- 大きいシール付きビニールぶくろ
 （3.75リットル）

作り方

1 シール付きビニールぶくろに、せんたくのり（100ミリリットル）、ボンド（小さじ1）、絵の具を入れる。
2 シールを完全にとじて、よくまぜる。
3 ホウ砂溶液（小さじ1）をくわえて、シールを完全にとじて、よくまぜる。これを3回くりかえす。
4 こねて、まぜて、丸めて、材料ぜんぶを完全にまぜる。
5 できあがり！ このプレイパティは超カンタンに作れて、遊ぶにはもっと楽しい！

ヒント

□テンペラ絵の具がない時は、アクリル絵の具（12ミリリットル）で代用できる。
□密閉容器で保存すること。

96 クリーンなどろ

現実では、どろはきたない。
クールな子どもの中でもいちばんクールな子どもだけが、きたなくないどろを作れる！
実際、それはせっけんでできている。
そしてびっくりするほどきれいだけど、どろんこあそびのように楽しい。

材料

- トイレットペーパー：1ロール
- せっけん：1（どんな種類でもよい）
- ホウ砂：大さじ1（なくてもかまわないが、入れると、どろがながもちする）
- 食用色素：4滴
- 水：480〜720ミリリットル

道具

- 大きなボウル
- おろしがね
- ゴムベラ

作り方

1 トイレットペーパーをほどいて小さくちぎる。
2 ちぎったものをボウルに入れる。
3 大人に手伝ってもらい、せっけんをおろしがねでけずり、ボウルに入れる。
4 水（480ミリリットル）を、せっけんとトイレットペーパーにくわえ（ホウ砂と食用色素を入れる場合は、それらもくわえる）、よくまぜる。
5 まだかわいていたら、まんべんなくなるまでさらに水をくわえる。
6 やった！　できあがり！

ヒント

□ まぜものをひとばんねかせると、本当にどろのようにべとべとになる。
□ 密閉容器で保存すること。

97 やわらかどろ

それは雨の日に水たまりの中をとびはねるようなものだ。しかしずっときれいだ。
おもちゃのなべやフライパンを出してこよう！
何やらおそろしいマッドパイが作れそうな予感がする。

大人といっしょに

口に入れない

材料

- 重曹：380グラム
- ココナツオイル：小さじ½
- 水：120ミリリットル

道具

- ボウル

作り方

1　ボウルに重曹（380グラム）、ココナツオイル（小さじ½）、水（120ミリリットル）を入れ、好みのかたさになるまでよくまぜる。
2　ぬれすぎていたら重曹を、かわきすぎたら水をくわえる。
3　ほら、もうできた！

ヒント

□ ひどくちらかりやすいけれども、かたづけもかんたんだ。
□ 水をかければとける。
□ 密閉容器で保存すること。
□ 保存できる時間が短い。

98 食べられるシリアルねんど

ねんどのようにもっちりとしていて、キャンディのように食べられる。このレシピに失敗はない。
友だちを呼んでくれば、みんなでこのシリアルねんど作りに熱中できる。うまいっ!

大人といっしょに

食べられる

材料

- バター：60グラムと少々
- ミニマシュマロ：400グラム
- 好きなシリアル：1箱

道具

- 大きい片手なべ
- 耐熱用ゴムベラまたは木ベラ
- 大きいプラスチック製容器

作り方

1 　大人に手伝ってもらい、大きめの片手なべにバター（60グラム）を入れて中火にかける。
2 　マシュマロ（400グラム）を注意しながらなべに入れ、とけるまでまぜる。かなりねばねばになる。
3 　大人に手伝ってもらい、なべを火からおろし、火をとめる。
4 　ゴムベラの先の両面にバターをぬる（手で持つところにはぬらない）。
5 　シリアルを（100グラム）くらいずつまぜていく。
6 　だんだんまぜるのが大変になる。ひたすら筋肉を使ってまぜつづける。
7 　シリアルを入れおわったら、大人に手伝ってもらい、このまぜものをプラスチック製容器に入れる。
8 　両手にバターをすこしぬる。
9 　シリアル生地が十分にさめていれば、両手でつかんでこねて遊べる。
10 　何よりもいいのは……、食べられることだ!

ヒント

☐ カラーマシュマロを使うか、好きな色の食用色素を3滴くわえてもよい!

99 ふわふわ絵の具

ふわふわ絵の具は、芸術作品に立体感をくわえるなぞの物質だ。
あっというまにきみは3Dで絵をかいている。
可能性は無限だ!

口に入れない

材料

- シェービングクリーム：80グラム
- 液体のり：70ミリリットル
  （色がついていないとうめいのもの）
- 木工ボンド：小さじ1
  （コニシ ボンド木工用）
- 食用色素：さまざまな色（赤、
  オレンジ、黄色、緑、青、紫）を
  数滴ずつ

道具

- 大きいボウル
- ゴムベラ
- 小さいボウルまたは
  プラスチック製容器：2〜3
- 絵筆
- 紙

作り方

1 大きいボウルにシェービングクリーム（80グラム）と液体のり（70ミリリットル）と木工ボンド（小さじ1）を入れ、ゴムベラでまぜる。

2 まぜおわったら、小さいボウルまたはプラスチック製容器に小分けにする（すべて同じ色にする場合は、この手順はいらない）。

3 それぞれの容器に食用色素を数滴ずつくわえ、まんべんなくよくまぜる。

4 作りたい色の数だけくりかえす。

5 絵筆をつかって紙の上に「かく」と、すてきなふわふわになる。

6 かきおわったら、絵を完全にかわかす。

7 かわくとふわふわしたふしぎな手ざわりになる。

ヒント

□絵の具の層をかさねると、すてきな効果が見られるだろう。
□食用色素の代わりにアクリル絵の具でも良い。
□シェービングクリームを使うので、風とおしの良い場所で作る。

100 ホームメイド絵文字スクイーズ

スクイッシー。その流行は止まらない！　でも、苦労してためたおこづかいを使って
お店でかわなくても、ずっとかんたんに家で作れたら？
このスマイリー絵文字をマスターしたら、可能性は無限大だ！
ほかに何が作れるだろうか？

口に入れない

材料

- 丸い化粧用スポンジ：1
- 黄色、赤、黒、白の布用の絵の
  具、またはふわふわ絵の具
  （174ページ）

道具

- ビニールのテーブルクロス
- ゴムまたはビニールのてぶくろ
- 小さな絵筆

作り方

1 テーブルをビニール製テーブルクロスでおおう。
2 必要なものは、すべてこの上におく。
3 使う絵の具は、布用の絵の具かふわふわ絵の具のどちらかだけ。
4 これらの絵の具は、乾燥したときに少しのびるので、つぶすのに
　都合がいい。
5 ビニール手袋をはめて、黄色い絵の具の大きなかたまりをスポン
　ジの上におとす。
6 指を使って、スポンジのまわりに絵の具をぬる。
7 スポンジ全体がぬられていることを確認する。
8 スポンジを完全に乾燥させる。
9 これで、どこへでも連れていけるスクイッシュな（つぶせる）友だ
　ちができた。自分の手で作ったこともみんなに話すといい。

ヒント

□ 同じ方法を使って、イマジネーションが生み出すかぎり、どんな形でも
　作ることができる。どんなアイデアが浮かんだかな？

101 魔法のラメ・ボトル

このウルトラクールなべとべと集団は、自分たちだけのボトルに住んでいる。
そこは宙にうかぶ、まほうのキラキラスライムのミニチュア世界のようだ。

口に入れない

大人といっしょに

材料

- 熱めのお湯：120ミリリットル
- ラメ入りのり（グリッターグルー）：
  1本（約180ミリリットル）
- ラメ：大さじ2½
- せんたくのり
  （ボトルをいっぱいにするため）
- 瞬間接着剤

道具

- 空のペットボトル
  （450または500ミリリットル）：1本

作り方

1 ペットボトルの外側のラベルやのりを、ぜんぶとりのぞく。

2 ボトルの¾くらいまでお湯を入れ、ラメ入りのりとラメを入れられるようにしておく。

3 ラメ入りのりとラメをボトルに入れ、キャップをしめてよくふって中身をよくまぜる。

4 ボトルは、ほぼ満杯になっているはずだが、せんたくのりを足してボトルを一杯にする。

5 大人にたのんで、ボトルのキャップを瞬間接着剤で固定し、かわかす。

6 キャップが完全にかたまったら、まほうのラメボトルのできあがりだ。

7 いきおいよくふると、ラメがくるくるとうずをまく。

8 5分間まつと、ラメはボトルのそこにおちていく。

9 そこでボトルをふりまわせば、ふたたび見事なグリッターショウのはじまりだ。

ヒント

☐ いろんな色の、のりとラメを使ってみよう。
☐ 虹の色をすべてそろえたくなるにちがいない！

監訳者あとがき

佐々木 有美

　私はスライムが大好きです。スライムの一番の魅力はなんと言っても「触感」だと私は思っています。一度でも触ったことがある方は分かると思いますが、やわらかく、プニュっと、ひんやりしていて、とろ〜りと伸ばしたときやギュッと握ったときの手応え。そして手が濡れるような、でも濡れていないという不思議さ。さわればすぐに理解できますが、言葉ではいくら表現しても伝えるのが難しい感覚です。最近は、YouTubeやInstagramなどのSNSで多くのスライムを見かけますが、動画や写真だけで、あの独特な触感をそのまま伝えることは、まだ難しいと思います。

　この本には、スライム以外にも触感が楽しいレシピがたくさん紹介されています。ぜひ、ひとつでも多くのものを実際に作ってさわってもらいたいと思います（さわってみればすぐに理解できますが、さわらないと本当の意味では理解できません）。この本には、同じような材料の構成のレシピもいくつかありますが、材料を入れる量や加えるタイミングを変えるだけでガラリと触感が変わるものも多いので、ぜひ作り比べてください。

　私は旅行（特に海外）に行くと、必ずおもちゃ屋さんなどでスライムを買います。日本でもスライムらしいものを見かけると思わず買ってしまいます。触覚を研ぎ澄ましていろいろなスライムをさわり比べていると、市販のスライムの材料が想像できるようになってきました。料理上手な人がおいしいレストランの料理を家で再現しようとするような感覚で、私は市販の気に入った触感のスライムを家で再現できるようになってきました。特に誰からもうらやましがられることもない特技ですが、この本の監訳をすることになり、初めてこの特技が役に立ってうれしく思っています。

スライムの材料について

　この本の原書はアメリカで出版されました。そのため、アメリカで一般的な材料が使われています。日本では一般的とは言えない（手軽に買うことができない）材料も多くあり、日本で手に入りやすい材料を選ぶのに少し苦労しました。また、スライムやねんどなどには、ひとつの「正解」があるわけではありません。あらゆる可能性があり（やわらかい、モチモチ、プリプリ、トロトロなど）、それらすべてが「正解」です。原書の著者の思っているそれぞれの「正解」がどういうものなのかを知るためには、実際に作ってみるしかないと思いました。サンフランシスコに旅行に行った時に、原書で使われている材料を買い集め、できるかぎり、オリジナルのレシピを作ってさわってみました。その後、日本で購入できる

材料で再現できるようにレシピを再構築しています。この作業のなかで、特に印象に残っている2つの材料（成分）を紹介したいと思います。

ひとつ目はElmer'sというメーカーの「School glue (white glue)」という糊です。YouTubeなどで欧米のスライム製作の動画を見たことがある方はご存知だと思いますが、欧米ではこの糊がスライムづくりにかかせません。この糊を使って作ると、手にくっつくことなく本当に良く伸びるスライムが簡単にできます。Elmer'sは今、この糊を「スライムの材料」としても売り出しているようで、ホームページを見るとスライムが全面に押し出されています。私もサンフランシスコでこの糊を大量に買った際に、店員さんから「スライムパーティーでもするのか？」とたずねられたほどだったので、アメリカでは「Elmer's School glue＝スライム」ということは、一般的な認識になっているようです。

Elmer'sはアメリカでは老舗メーカーとして知られ、特にSchool glueは定番商品で、新学期の時期にはスーパーで大安売りされたりしているようです。日本でも昨年（2019年）ぐらいからElmer'sが販売されています。ただ、まだ手軽に買うことが少し難しそうなので、もっと簡単に手に入りやすい材料に置き換えるためにElmer's School glueの成分を調べようとしました。しかし残念ながらElmer'sのホームページには、特許のために成分は公開されていないことが記載されていました。しかし、安価で大量に売られているものなので、特殊な材料が使われているとは思えません。身近な材料であらゆる組み合わせを試してみました。その結果、水のりと木工用ボンドを混ぜるとかなり近いものができあがることがわかりました（日本語版ではより安価な材料にしたかったので、せんたくのりと木工用ボンドの組み合わせにしています。余裕があればぜひ水のりでも試してもらいたいと思います。水のりもせんたくのりも主成分はPVAのようですが、濃度が違うようです）。水のりとボンドの割合はとても微妙で、できあがり直後と3日後では、手ざわりが変わるため、それぞれのタイミングで確認し、よりElmer's glueのスライムと近い手ざわりになる割合を探りました。さらに調べてみると、糊のメーカーによっても多少手ざわりが違うこともあります。組み合わせは無限にあり、探求には終わりがありません。

2つ目は「コカコーラ」です。「27. コーラスライム」を作っているときに、原書のレシピ通りに作っても、まったくスライムにならなかったのです。シンプルなレシピだったので原因を突き止めるのは簡単でした。その原因はコカコーラだったのです。国によってコカコーラの味が違うことを聞いたことはありましたが、特に気にしたことはありませんでした。しかし、コカコーラの成分を調べているうちに「甘味料」に原因があるかもしれないと気がつきました。アメリカと日本では食品の成分で許可されているものが違うことが多いようです。そこで、甘味料が違う「コカコーラゼロ」に材料を変えたところ、レシピ通りのスライムができました。ちゃんとスライムコーラができることを確認できて一安心したのと同時に、同じ顔をしていて世界にあふれている商品のグローバル化や見えないローカル化について、いろいろ考えてしまいました。

「ヒント」にも書いてありますが、コカコーラ以外の他の炭酸飲料でも甘味料やpHに気をつければスライムができるかもしれません（酸性だとスライムができないので注意です）。

スライムを研究することで広がる世界

　「スライム」という言葉には科学的な定義があるわけではありません。どろどろ、ぬるぬるしているもの全般を、おおまかにスライムと言っています。しかも、どろどろ、ぬるぬるなど、個人の感覚なので基準がかなり曖昧です。つまり、誰かが「スライムっぽい」と思えば、それはその人にとってのスライムです。スライムの「手ざわり（触感）」は実に奥深く、謎が多すぎるのですが、とても興味深いものです。現在、私は科学的にスライムを研究しているのですが、スライムの触感を数値化することに苦労しています（科学の世界では数値化することが求められるのです）。

　以前、大学で触覚の研究をされている先生にお話を聞く機会がありました。そこの研究室にはさまざまな装置があり「しっとり感」や「口に入れた時の食感」などを数値化していました（数値と官能試験を合わせてデータにしていたりもしていました）。そこで聞いたのは「人が『〇〇〇と感じる』というときの、その「感じる」ということを解明することはすごく難しい」ということでした。触感はとても弱い信号が複雑に関係しているらしいのです。単純にスライムの物性を測定するだけでは、全体像が見えないこともあるようです。確かにスライムも、さわり方によって受ける印象が大きく違うことがあります。例えば、スライムをキャッチボールした時に手で受けた瞬間はかたく感じたり、同じスライムでもゆっくり握ると柔らかく感じたりと印象が変わります。私は自分で作るスライムの「ハリ」と「コシ」が魅力だと思っているのですが、具体的にはどういった感触をハリやコシと感じているのかについて、自分がいつもどのようにスライムを触っているかということから見直さなければいけませんでした。まだまだ謎が多すぎる「スライム」のその謎を、もっと深く知っていきたいと思っています。

　ある国立大学のオープンキャンパスに行った際、いろいろな研究室が子ども向けにスライムを題材にしたプログラムを開催していました。それぞれの研究室によってスライムを分類するカテゴリーが違っていました。「ソフトマター」、「ゲル」、「プラスチック」などをキーワードに、材料工学、医療、生物、物性物理など、さまざまな分野からスライムを違う見方で解説しているのを見て、自由に学問の領域を横断できるスライムの奥深さを改めて感じました。そのように、とらえどころがなくさまざまな顔を持っているところもスライムの魅力のひとつだと思っています。

　私は用途に合わせてスライムをつくり分けていますが、繰り返し作るスライムには「グアーガム」という、グアー豆という豆の中の胚乳を粉末にした粉を使っています。このグアーガムは水に溶かすと粘性が高くなるのが特徴で、グアーガムを入れるとかなり良く伸びるスライムを作ることができます。以前、より良いスライムをつくるため、原材料についてもっと詳しく知りたいと思っていた時に、インドのグアー豆農家とグアーガムの加工会社に取材する機会がありました。グアー豆のグアーとはヒンドゥー語で「砂漠」という意味のようです。その名前の通り、グアー豆は乾燥した土地で栽培されています。私が取材した当時（2014年）は、世界で流通しているグアーガムの80%がインドで作られていると話し

ていました。また、経済的に灌漑設備などを持つことができない貧しい地域でも栽培できる、という説明を受けました。グアーガムはグアー豆を枯らして乾燥させてから収穫と加工を行いますが、フレッシュな緑のうちに収穫すれば、そのまま食べることもできます。そういった理由もあり、貧しい地域ではとても重宝される豆だそうです。私が取材に行った当時はグアーガムバブルの時期で、私が取材した農家では「昨年と比べて売値が100倍も高値になった」と言っていました。理由はシェールガスの採掘に使われるようになったことです（現在はまたグアーガムの価格は落ち着いているらしいのですが、社会状況に大きく影響を受けるようです）。ここで出会った農家の方は、グアーガムバブルでかなりの大金を得たのですが、そのお金でトラクター、ソーラーパネル、灌漑設備、パソコン（天気予報の詳細、グアーガムの取引の時期の見極めのための情報収拾、グアーガムの輪作の計画をつくるため）などを購入していました。もし自分が昨年より収入が100倍になったら、こんなにしっかりと考えた投資ができるだろうか？　と考えてしまいました。

　グアー豆の研究者の方にも取材をさせていただきました。その研究者が「グアー豆は貧困から人々を救うことができるはずだ。私はグアーガムの用途のあらゆる可能性を探り、一株から一粒でも多く収穫できるように研究していきたい」と熱く語っていたのが印象的でした。このことは、ひとつのことを深く知ろうとすることで、見えてくる世界が広がることを体感できる良い経験になりました。また、インターネットで調べるだけでなく実際に行動することの大切さも知ることができました。多くの人にとってスライムはただのおもちゃのひとつかもしれませんが、私にとっては視野を広げてくれる大切なものです。いつか「ホウ砂」も原料から採りにいってみたいと思っています。ホウ砂は塩湖が乾燥した跡地で採れることが多い鉱石が原料のようです。まだインターネットで調べただけの知識なので、もっとホウ砂についても知りたいと思っています。

おすすめレシピと新しいスライム

　ここで、この本のレシピから、私のおすすめを紹介したいと思います。この本は101種類ものレシピが書かれていますので、どれから作ればよいのか迷ってしまっている方は参考にしてください。

6. 雪だるまスライム
　雪だるまスライムは多くの人が「スライムらしい」と思うはずです。やわらかく、よく伸びて楽しいスライムです。ホウ砂溶液を入れてから15分ほどがんばってかきまぜつづけると手ざわりが良いスライムになります。とにかくあきらめないでかきまぜつづけることがコツです。

26. コンタクト・スライム
　下準備なしに、材料をそのまままぜていくだけで、かんたんに手ざわりが良くとても伸びるスライムをつくることができます。

重曹とコンタクト洗浄液でスライム化します。この2つの材料の組み合わせがホウ砂溶液と同じような役割をはたすようです（コンタクト洗浄液に入っている成分でスライム化することを重曹［アルカリ性］が助けているようです）。逆に、このスライムにレモン汁などの酸性のものを加えると、スライムが溶けてしまいます。これもおもしろいので実験してみてください。

コンタクト洗浄液はメーカーによっても成分が違います。また、メーカーが商品を改良するときに成分を変えてしまう場合があります。もし家にあるコンタクト洗浄液でスライムができなかった場合は、別のメーカーのもので試してみるとできるかもしれません。

31. 氷山スライム

このスライムは作った直後はふわふわでよく伸びて楽しいです。さらに楽しいのが3日後、固まった表面をこわす時です。はんぺんのような、なんとも言えない膜_{まく}ができ、それを押しこわす時のかたいようなやわらかいような手ざわりがとても楽しいです。その時、シュワシュワぱちぱちという不思議な音もいっしょに楽しんでみてください。

膜を壊していくと下の方にはふわふわが残っていますので、まぜあわせると、またふわふわで遊ぶことができます。材料の種類が多いので集めるのが大変ですが、ぜひ作ってみて欲しいと思います。

39. とうめいスライム

かなり透明度の高いキレイなスライムを簡単に作ることができます。コツはせんたくのりを加えてまぜる時になるべく気泡が入らないようにていねいに作業することです。これで、本当にクリアーなスライムになります！

このスライムにスパンコールやビーズなどを混ぜると「9. ミッケスライム」になります。テーマを決めてからビーズなど混ぜるものを選ぶと、すごくかわいくなると思います（私は小さなフルーツのフィギュアを入れ、そのフルーツをイメージした色のラメやビーズなど加えました。色や香りをつけても楽しいかもしれません）。自分の想像力を思いきり爆発させて楽しむことができます。

40. 世界一の手作りねんど

このねんどは、本当に手ざわりがなめらかで気持ちが良く、手にもつかないので遊びやすいものです。表面もなめらかなので型抜きでキレイに型を抜くこともできます。また、かたさもちょうど良く、造形が簡単です。

このねんどが基本で、色を足すなど自分なりにアレンジしていくこともできます。

小麦粉アレルギーの方は、別の粉でも作ることができます。実際にだんご粉で作ってみましたが、同じようなねんどを再現することができました。ただし、油の量や塩は減らしています。米粉の種類などによっても、配合は微妙に変わる可能性があるので、自分好みの手ざわりのねんどを作ってみてください。

ただ、このねんどは独特な香りがするので、もし香りが気になる方は「46.ラベンダーねんど」でも良いでしょう。ほぼ同じものですが、ラベンダーの香りをつけるので、香りが好きな方はラベンダーねんども試してみてください。

64. クールエイドねんど

これも「40.世界一の手作りねんど」に似ていますが、水ではなくジュースを使います。ジュースなのでとても香りがよく、さらに色もつくので楽しいです。ブドウジュースなど色が濃いジュースがおすすめです。手に入ればアメリカの粉ジュースの「クールエイド」で作ってみてほしいと思います。びっくりするほど鮮やかな色とおいしそうなグレープの香りがつきます。

77. 食器用洗剤シリーパティ

これは、材料がたった2つだけでとても簡単に作れて、とても面白い触感のものができるのでおすすめです。これもおおまかに言うと「85.ウーブレック」と同じく水溶き片栗粉に似ています。でも、こちらの方がまとまりやすく、遊びやすいと思います。

85. ウーブレック

最初にレシピを見た時は、よくある水溶き片栗粉の「ダイラタンシー」の実験だと思いました。ただ、濃縮液体洗剤を加えると劇的に楽しくなりました。水溶き片栗粉で遊んだことがある方は分かると思いますが、ギュッと握ると一瞬は固体のように持つことができるのに、すぐにタラ～っと液体になってしまう不思議な物体です。そこに洗剤を入れると、まとまりがよくなりとても遊びやすくなります。水のちょっとした加減などでも手ざわりが大きく変わるので、自分好みのウーブレックを楽しんでみてください。材料もシンプルで簡単に作れるので、ぜひ一度作ってみてもらいたいと思います。

99. ふわふわ絵の具

泡で絵を描くことができます。ふわふわすぎて、なめらかな線を描くことは難しいのですが、思わぬラインを引くことができるのが楽しいです。色をまぜることもできるし、重ねて描くこともできるので表現の幅が広がります。

乾かした後も、線が盛り上がったままで、ふわふわしているのでさわると気持ちが良いです。ふわふわ絵の具を塗りかさねて厚みがあると、乾くのに時間がかかりますが、1週間ほどじっくり楽しみに待っていてください。

最後に2つの新しいスライムのレシピを紹介したいと思います。101種類の試作をして得られた知識と、今まで自分が作ってきた経験を合わせて新しいスライムを作ってみました。とても良く伸びて、ほんのりコーラの香りがする楽しいスライムです！

おまけ **1** コーラスライム（グアーガムバージョン）

口に入れない

犬といっしょに

材料

- グアーガム：小さじ½
  （約2.5グラム、marugoグアーガム粉末、インターネットで買える）
- 水：100ミリリットル
- コカコーラ：小さじ2
- ホウ砂溶液：小さじ1+少々

ホウ砂溶液の材料

- ホウ砂：小さじ1
  （約4.5グラム、薬局で買える）
- 60℃のお湯：100ミリリットル

道具

- ボウル
- 泡立て器
- 耐熱カップ
- スプーン

作り方

[下準備（ホウ砂溶液を作る）]

① 耐熱カップに60℃ぐらいのお湯（100ミリリットル）をそそぐ。

② そこにホウ砂（小さじ1）を入れ、しっかりととかす。

1 水（100ミリリットル）をボウルに入れてからグアーガム（小さじ½）を入れ、すぐに泡立て器でグアーガムがダマにならないようにしっかりととかす。

2 完全にグアーガムがとけてからもまぜつづける。

3 グアーガムをとかした水にとろみがでてきたら、コーラ（小さじ2）をくわえ、しっかりまぜる。

4 材料がしっかりまざったら、ホウ砂溶液（小さじ1）をくわえ、まぜつづけるとスライムになる。小さじ1だけだと少しやわらかすぎるので、ホウ砂溶液を小さじ½づつくわえ、くわえるたびにしっかりまぜる。

5 スライムが手につかないようになったらできあがり！

ヒント

□「コカコーラゼロ」などシュガーレスの材料ではできない。

□遊ばない時は冷蔵庫に入れておくと長持ちする。

□木工ボンドを小さじ1（コニシ ボンド木工用）をくわえると、スライムが少し長持ちする。ボンドを入れる場合は「3」と「4」の間のタイミングで入れる。

おまけ **2** コーラスライム（せんたくのりバージョン）

口に入れない

ズイといっしょに

材料

- せんたくのり：100ミリリットル
  （成分にPVAと表示されているもの）
- コカコーラ：小さじ1
- ホウ砂溶液：小さじ3～4

ホウ砂溶液の材料

- ホウ砂：小さじ1
  （約4.5グラム、薬局で変える）
- 60℃のお湯：100ミリリットル

道具

- ボウル
- ゴムベラ
- 耐熱カップ
- スプーン

作り方

［下準備（ホウ砂溶液を作る）］

① 耐熱カップに60℃ぐらいのお湯（100ミリリットル）をそそぐ。
② そこにホウ砂（小さじ1）を入れ、しっかりととかす。

1　せんたくのり（100ミリリットル）をボウルに入れてから、コカコーラ（小さじ1）を入れ、ゴムベラでしっかりとまぜる。
2　材料がしっかりまざったら、ホウ砂溶液（小さじ1）をくわえ、まぜつづける。
3　全体が同じかたさになったら、さらにホウ砂溶液（小さじ1）をくわえ、しっかり、まぜる。これをあと1～2回くりかえし、好みのかたさのスライムになったらできあがり！

ヒント

□ コカコーラゼロなどシュガーレスではできない。
□ 遊ばない時は冷蔵庫に入れておくと長持ちする。

［著者紹介］

Jamie Harrington（ジェイミー・ハリントン）

ブログ「Totally the Bomb」の作者で、『The 101 Coolest Simple Science Experiments』の共著者。彼女は手の中で、こむぎねんどがつぶれる様子を常に楽しんできたが、決して絶対に色をまぜたことがなかった。現在はカラーミックス推進派となって何でもまぜるよう、みんなにすすめている！

Brittanie Pyper（ブリタニー・パイパー）

『Adorkable Bubble Bath Crafts』の著者にしてウェブサイト、SimplisticallyLiving.comのオーナー。小さい時にこむぎねんどと恋に落ちた。料理やお菓子作りのおままごとから始まったものが、あらゆるべとべとぐにゃぐにゃのDIY中毒へと変わり、それが子どもたちのエンターテイメントにもなっている。

Holly Homer（ホリー・ホーマー）

『101 Kids Activities that are the Bestest, Funnest Ever!』と『The 101 Coolest Simple Science Experiments』の共著者。彼女とこむぎねんどはひと目ぼれの相思相愛だった。塩ねんどを作ったことは最初の思い出のひとつ。

［監訳者紹介］

佐々木 有美（ささき ゆみ）

1984年生まれ。科学館職員。科学に関するワークショップなどの企画開発を行っている。そのかたわら、スライム好きが高じてさまざまな活動を行う。2015年にはテレビ番組「日立世界ふしぎ発見!（TBS）」に出演し、世界一伸びる究極のスライムを求めて原材料・グアーガムを調査しにインドに渡航。グループで制作した「Slime Synthesizer」は第18回文化庁メディア芸術祭新人賞を受賞。『妖怪ドロリンスライム』（学研プラス）の付録スライムを開発。イベント「Make Tokyo Meeting」、「Maker Faire Tokyo」にもスライムで何度も参加。

［訳者紹介］

高橋 信夫（たかはし のぶお）

1953年生まれ。コンピューター会社勤務を経て、2006年に独立、翻訳、執筆のかたわら科学研究、科学教材開発も手がけ、オリジナル製品に「トンでも吸盤」がある。主な訳書、『Subject to Change』『Mad Science』『Mad Science 2』『Amazing Science』『デザイニング・ボイスインターフェース』（いずれもオライリー・ジャパン）、『フェイスブック 若き天才の野望』『HARD THINGS』（いずれも共訳、日経BP）。TechCrunch Japan翻訳者、仮説実験授業研究会会員、東京農業大学非常勤講師。
facebook.com/nobuotakahashi

どろどろこねこねで楽しい！
手作りスライムとこむぎねんどの本

2020年　6月25日 初版第1刷発行

著者　　　Jamie Harrington（ジェイミー・ハリントン）、
　　　　　Brittanie Pyper（ブリッターニ・パイパー）、
　　　　　Holly Homer（ホーリー・ホーマー）
監訳者　　佐々木 有美（ささき ゆみ）
訳者　　　高橋 信夫（たかはし のぶお）

発行人　　ティム・オライリー
デザイン　中西要介（STUDIO PT.）、
　　　　　根津小春（STUDIO PT.）、寺脇裕子
イラスト　北澤平祐

印刷・製本　日経印刷株式会社

発行所　　株式会社オライリー・ジャパン
　　　　　〒160-0002 東京都新宿区四谷坂町12番22号
　　　　　Tel（03）3356-5227 Fax（03）3356-5263
　　　　　電子メール japan@oreilly.co.jp

発売元　　株式会社オーム社
　　　　　〒101-8460 東京都千代田区神田錦町3-1
　　　　　Tel（03）3233-0641（代表）Fax（03）3233-3440

Printed in Japan（ISBN978-4-87311-898-7）